CB031399

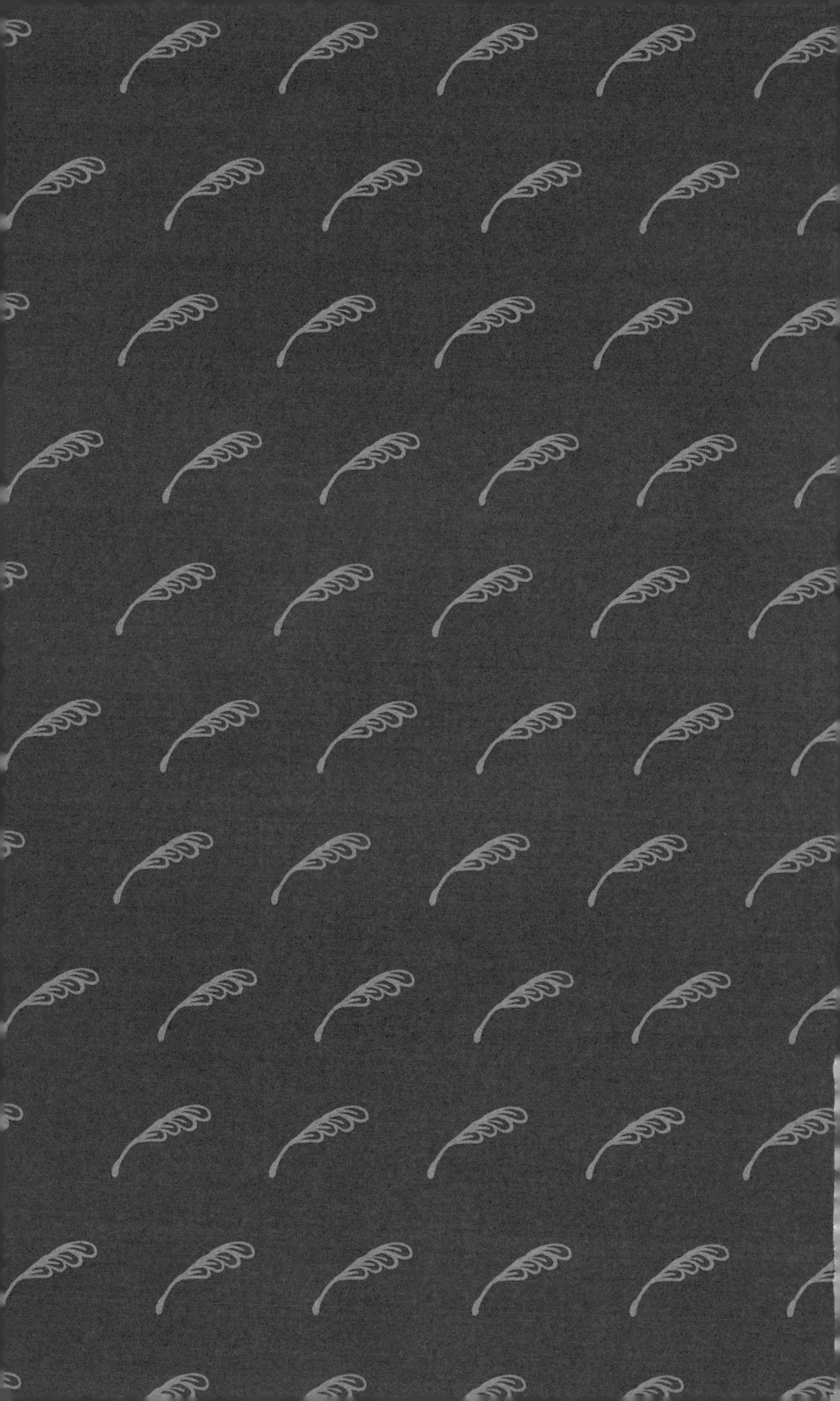

NOVA MENTALIDADE

NOVA MENTALIDADE

Conversas em torno da carta
de Paulo aos Filipenses

RODRIGO BIBO DE AQUINO
(organizador)

ALEXANDRE MIGLIORANZA
CACAU MARQUES
VICTOR FONTANA
PAULO WON

Os textos das referências bíblicas foram extraídos da *Nova Versão Transformadora* (NVT), da Tyndale House Foundation, salvo indicação específica.

CIP-Brasil. Catalogação na publicação
Sindicato Nacional dos Editores de Livros, RJ

N811

Nova mentalidade : conversas em torno da carta de Paulo aos Filipenses / Alexandre Miglioranza ... [et al.] ; organização Rodrigo Bibo de Aquino. - 1. ed. - São Paulo : Mundo Cristão, 2021.
160 p.

978-65-5988-039-3

1. Bíblia. N.T. Filipenses - Crítica, interpretação, etc. 2. Bíblia. N.T. Filipenses - Comentários. I. Miglioranza, Alexandre. II. Aquino, Rodrigo Bibo de.

21-7324 CDD: 227.607
CDU: 27-248.54-273

Meri Gleice Rodrigues de Souza - Bibliotecária - CRB-7/6439

Categoria: Teologia
1ª edição: novembro de 2021

Edição
Daniel Faria

Revisão
Natália Custódio

Produção e diagramação
Felipe Marques

Colaboração
Ana Luiza Ferreira
Marina Timm

Capa
Caio D'art Design

Publicado no Brasil com todos os direitos reservados por:

Editora Mundo Cristão
Rua Antônio Carlos Tacconi, 69
São Paulo, SP, Brasil
CEP 04810-020
Telefone: (11) 2127-4147
www.mundocristao.com.br

Sumário

Agradecimentos

Muitas pessoas atuam nos bastidores de um livro, e a chance de esquecermos alguém é sempre grande. Mas agradecer é preciso. Começo agradecendo a meus amigos de *podcast*. Sem Alexandre Miglioranza (antigo Milhoranza), Cacau Marques, Victor Fontana e Paulo Won, não seríamos brindados com tanta devoção e sabedoria na leitura e exposição da carta de Paulo aos Filipenses. Esses homens de Deus estão há anos me dando a alegria de caminhar ao seu lado na produção de conteúdo para internet. Vocês me inspiram, vocês fazem a diferença em minha vida e ministério. Estendo minha gratidão a André Reinke, Willian Erthal e Bruno Porreca pelos excursos que enviaram e que somam demais ao conteúdo deste livro.

Quero agradecer a Camila Abreu, que me ajuda nas finanças do ministério e que coordenou a equipe de transcrição e adaptação do texto. A equipe foi formada por: Victoria Caporal (que também me ajudou na revisão da transcrição), Hideki Nakamura, Guilherme Piton, Simon Scabelo e Jefferson Gabriel. Gente, valeu demais por gastarem horas ouvindo e transcrevendo os episódios, foi fundamental. E Luís Malheiro e Leonardo Maraga, vocês deram o toque final, transformaram as ideias transcritas em um texto gostoso de ler. Obrigado, galera, por acreditarem nesse ministério.

Agradeço a Jaqueline Lima e a Editora Mundo Cristão por darem espaço e oportunidade para comentarmos Filipenses numa série de *podcasts* e agora neste livro. Glória a Deus pelo compromisso em investir em autores nacionais e suas produções. Poucas editoras arriscam desse jeito, afinal, lançar um livro vai muito além da cotação do papel, é um trabalho de muitas mãos e muitos reais. Muito obrigado!

O que seria de nós sem nossas esposas e filhos? Com certeza, sem o apoio deles não teríamos o pique e a disposição necessários para produzir teologia na internet e na igreja local. Obrigado, queridos, por nos darem suporte e serem nosso refúgio.

Gratidão também aos ouvintes e aos mantenedores do Bibotalk. Sem vocês não seríamos o *podcast* que somos hoje. Vocês são nosso combustível semanal, nossa motivação e missão. Enquanto Deus der graça e vocês derem o *play* (e também o *pay*), seguiremos firmes na produção do BTCast, o nosso *podcast* semanal de Bíblia e teologia, afinal, teologia é nosso esporte!

Acreditamos que todos os citados acima nada mais são do que manifestações do Deus Trino em nosso favor. Somos gratos a Deus por nos permitir partilhar de sua Palavra e sua missão. Obrigado, Jesus!

Apresentação

Numa parceria entre o Bibotalk e a Editora Mundo Cristão, foi lançada entre os dias 11 e 15 de maio de 2020 uma série de *podcasts* sobre a carta de Paulo aos Filipenses. Usando o texto da Nova Versão Transformadora (NVT), passeamos pela epístola procurando entender as riquezas da Palavra de Deus para nossa vida dentro do contexto em que a carta foi escrita e destinada. Foram cinco episódios recheados de devoção, teologia e bom humor, com um resultado tão satisfatório que resolvemos trazer o conteúdo para o formato de texto.

Os programas foram transcritos e adaptados, afinal, o jeito que falamos nem sempre fica bom em forma de texto. Contudo, preservamos o tom de conversa que o *podcast* tem, o que torna a leitura leve e fluída. A indicação do nome do autor de cada proposição aparece numa coluna lateral ao texto, e esse nome é depois abreviado por meio de suas iniciais. Se você nunca leu um livro assim, acredito que terá uma boa experiência.

Porém, o livro que você tem em mãos... aliás, já receba minha gratidão por investir seu dinheiro e tempo lendo autores nacionais, isso ajuda demais a produção interna de conteúdo. Mas eu estava dizendo que o livro é bem mais que áudio transcrito. Ele teve acréscimos valiosos, como excursos ao longo de cada capítulo que amplificam o conteúdo. Tenho certeza de que este livro lhe mostrará os tesouros contidos nessa preciosa carta de Paulo.

Se este é o seu primeiro contato com o conteúdo que o Bibotalk produz, convidamos você a ouvir nossos *podcasts*.

São mais de quatrocentos programas explorando o rico universo bíblico-teológico. Ele está disponível em nosso *site* Bibotalk.com ou em plataformas digitais como Spotify, Deezer, Apple (iTunes), Amazon Music e *apps* de *podcast*.

Que Deus abençoe sua leitura!

RODRIGO BIBO
Primavera de 2021

Prefácio

Alegria, *encorajamento*, *consolo* e *fortalecimento*. Palavras que cabem bem em situações tranquilas, quando o barco de nossa vida e existência navega por mares calmos e é impulsionado por ventos favoráveis. Ao ouvirmos essas palavras, imaginamos que sempre há algo bom que pode acontecer conosco, ou que, em alguma medida, estamos imunizados contra as intempéries da vida. Mas tais palavras indicam a direção contrária: não a ausência de problemas, mas, graças a Deus, o cuidado divino mesmo quando os problemas insistem em nos afligir. Ao lermos essas palavras na carta de Paulo aos Filipenses, o que vemos na igreja de Filipos é uma situação muito longe de uma bonança (aliás, qual foi a igreja que sempre navegou por mares tranquilos, não é verdade?).

Paulo é considerado incontestavelmente o autor dessa carta. Provavelmente, ele encontrava-se encarcerado em Roma, por volta de 62 a.C., já no final de sua carreira missionária. Esse mesmo Paulo em grilhões se utilizou de um meio de comunicação da época, as cartas, para se fazer presente entre aquela comunidade tão querida. Mesmo à distância — que ironia comparar com os nossos tempos! —, ele se fez presente no meio de uma igreja que havia plantado, a fim de fortalecer aqueles irmãos e irmãs e alegrá-los no Senhor Jesus. O objetivo de Paulo era claro: encorajá-los a viver não como cidadãos da *polis* ou do *Imperium Romanum*, mas da pátria celestial.

A igreja que se estabeleceu na importante cidade de Filipos foi o primeiro fruto missionário de Paulo em regiões propriamente gregas (ver At 16.6-40). O labor missionário de Paulo não é mensurável apenas pelos números das conquistas, mas também pelos diversos tipos de dificuldades que enfrentou naquela região. Por exemplo, junto com seu companheiro de viagem Silas, foi preso e severamente açoitado por ter exorcizado o espírito maligno de uma mulher que dependia economicamente da prática de adivinhação. Embora cidadãos romanos, Paulo e Silas foram torturados e lá, dentro da prisão, experimentaram um milagre: terremoto, grilhões rompidos e a conversão da família do carcereiro.

São experiências como essas que tornaram a igreja de Filipos tão importante para Paulo. O apóstolo chegou a elogiá-los pelo apoio financeiro que recebia de uma comunidade que não era das mais abastadas, mas que generosamente contribuía com seu trabalho missionário e também com o socorro a crentes que passavam por situações de provas e dificuldades ainda maiores (Fp 4.15-16). Mesmo aquém da mobilização de outras igrejas no mundo mediterrâneo, os filipenses estavam juntos de Paulo, tanto em momentos difíceis como em ocasiões favoráveis, sempre alegres e dispostos a com ele partilhar da missão de Jesus.

Este é o amálgama que a carta aos Filipenses nos convida a experimentar: por um lado, o avanço do evangelho sobre um dos berços da civilização ocidental; por outro, as intensas dificuldades que esse avanço cobrava. O exercício das virtudes fundamentais fomentadas pelo evangelho não estava na assimilação cognitiva de informações — talvez um padrão com o qual os gregos estivessem mais acostumados —, mas na obediência expressa no amar e servir aos outros, em amor ao Senhor, a despeito de todas as dificuldades. E é exatamente dentro desse contexto que as palavras *alegria*, *encorajamento*, *consolo* e *fortalecimento* devem ser entendidas. Aliás, esse é o padrão da experiência dessas virtudes ao longo de toda a história da igreja de Cristo desde então, até os dias de hoje.

No momento de nascimento do projeto da BTWeek, o primeiro até então, estávamos passando por uma grande tribulação. Aliás, a própria palavra *alegria*, que se repete tantas vezes no texto paulino, não se adequava bem ao cenário caótico dentro do qual estávamos vivendo. Nos primeiros picos da pandemia da Covid-19, com já milhares de mortos e mais milhões de enfermos, quando éramos acionados diariamente na igreja com telefonemas comunicando falecimentos que ainda não cessaram de acontecer, o tema *Nova mentalidade: Conversas em torno da carta de Paulo aos Filipenses* se fez não somente necessário, mas também urgente.

Urgente em dois sentidos. Em primeiro lugar, uma urgência que envolveu toda a equipe que gravou os episódios que são transcritos nesta obra. Somos todos pastores e teólogos preocupados em transmitir a comunicação fiel da Palavra em justa conexão com as vicissitudes de nosso tempo. Impedidos de nos reunir, guardando a saúde em nossos lares por meio do distanciamento social, conversamos por muitas horas através de videoconferência não apenas sobre o conteúdo de Filipenses, mas também sobre como nossa maneira de pensar deveria ser primeiramente moldada pelo Espírito Santo para que, dessa forma, pudéssemos comunicar à nossa audiência a essência da mensagem de Paulo, traduzida para o nosso contexto e dentro das nossas miseráveis contingências. Ou seja, "prosseguir para o alvo" (Fp 3.14), sempre com alegria, a despeito dos inimigos de Cristo e de um mundo hostil.

Em segundo lugar, o sentido de urgência sobre toda a igreja. Filipenses foi, inicialmente, endereçada a uma igreja nascente, dentro de um contexto pagão, tendo como seus primeiros frutos cristãos sem nenhum tipo de contato prévio com a religião judaica. Eles se abstiveram de todo o *modus vivendi* religioso da época para exaltar a Cristo e viver de acordo com sua vontade. Por isso, dentro dessa importante cidade macedônica, centro importante de adoração aos deuses do panteão romano, os primeiros crentes sofreram perseguição. É com vistas a essa dificuldade pontual que Paulo envia sua carta para encorajá-los a não capitularem, mas a se manterem firmes na soberana vocação em Cristo. Hoje, com certeza também, *mutatis mutandis*, temos nossos adversários e inimigos, nossas nuvens de tribulação ou sombras de morte. Como enfrentá-los? Acuados, por sermos a minoria, ou com cabeça altiva, por termos Cristo ao nosso lado? Desencorajados ou exortados a seguir o exemplo de Cristo?

Nova mentalidade não é apenas um comentário. Lidamos com exegese e hermenêutica, mas esse não é o total de nosso objetivo. Apresentamos a você, leitor, uma conversa franca sobre esse texto tão rico que nos exorta a pensarmos nas coisas do alto, para encararmos as pedreiras daqui de baixo com alegria e boa disposição, amando o Senhor e sua obra, espancados, sem, porém, perder a fé. Essa nova mentalidade nasce em Cristo e nos é aplicada pela obra do Espírito Santo. E, com certeza, o mesmo Espírito que esteve conosco nas horas de gravações desses *podcasts* estará com você, leitor, enquanto estiver lendo esta obra em paralelo com a carta de Paulo aos Filipenses.

PAULO WON

FILIPENSES

Introdução geral

Com Rodrigo Bibo, Alexandre Miglioranza, Cacau Marques, Victor Fontana e Paulo Won (BTCast 341).

O QUE É UMA EPÍSTOLA?

RODRIGO BIBO

Para começarmos a conversa, gostaria de lançar uma pergunta aos amigos da mesa. É sabido que a Bíblia contém vários gêneros literários, e as cartas ou epístolas ocupam boa parte do Novo Testamento. Por favor, poderiam explicar um pouco das características desse tipo de texto e o que precisamos ter em mente ao ler? Quais são os cuidados que devemos ter ao ler esse gênero? Afinal, o gênero literário conduz a interpretação do texto.

PAULO WON

Aqui a gente pode tratar *carta* e *epístola* como sinônimos. Pessoas mais idosas e até as nossas versões antigas usam a palavra "epístola", que é a correspondência de um termo no grego que significa basicamente carta. O fenômeno epistolar não é algo restrito ao Novo Testamento. Já conseguimos observar algumas movimentações assim na parte final do Antigo Testamento: pessoas enviando cartas, pessoas se correspondendo. Isso foi uma grande inovação literária da humanidade, que tinha como objetivo promover a comunicação à distância.

Um dos objetivos mais importantes de qualquer tentativa de comunicação é tornar a mensagem inteligível para pessoas que talvez estejam a uma distância que impossibilita o encontro presencial. Hoje temos muitas opções de comunicação remota, entretanto, antigamente, não se tinha nenhuma dessas facilidades. Nem telefone discado, aliás! A única maneira de transmitir a mensagem de forma fidedigna e precisa era por meio da redação de cartas. Por isso, elas se tornaram um gênero literário muito usado, com formas bem definidas já no contexto clássico, no mundo greco-romano.

Paulo usa todas as convenções que estavam disponíveis à sua época, não somente para se comunicar com igrejas distantes de seu alcance físico. Porém, sua grande inovação está em responder a situações e questionamentos pontuais de cada comunidade baseado em sua concepção teológica sobre Cristo, sobre a vivência dos cristãos dentro do Reino, sobre a ética. As suas cartas e as demais se transformaram em uma fatia considerável do Novo Testamento. Se temos a primeira parte do Novo Testamento narrando a vida de Jesus, a segunda é formada pelas reflexões teológicas, que nascem de necessidades reais, comunicadas à distância por meio de epístolas. Por exemplo, Scot McKnight, que é um teólogo do Novo Testamento do mundo de fala inglesa, diz que as cartas no mundo de Paulo eram a presença encarnada e registrada do seu autor, nesse caso, o próprio apóstolo. Quando lida em público, a epístola representava o comparecimento da pessoa, como se houvesse um holograma dela lendo o conteúdo, tal era o poder dessa forma de comunicação que foi desenvolvida pela humanidade e bem utilizada pelos autores bíblicos.

RB

Paulo Won, você está falando de carta e epístola, mas usando os termos como sinônimos, certo? Por exemplo, se eu pego a carta de Paulo aos Filipenses, consigo notar uma pessoalidade bem patente. É bastante parecida com o que eu escreveria caso tivesse que falar com o Victor, que está lá em Fort Lauderdale, nos Estados Unidos, enquanto gravamos esta conversa. Seria um texto bem pessoal, contando coisas minhas, meus anseios, e por aí vai. Agora, se pego uma carta de Paulo aos Romanos, já sinto um tom diferente. Aquela epístola parece ser muito objetiva, sem carregar tanta pessoalidade como no caso dessa aos Filipenses. Apesar disso, continua sendo uma carta? Pergunto porque alguns mais antigos fazem essa distinção: carta é mais pessoal, enquanto epístola carrega orientações mais pedagógicas e didáticas.

VICTOR FONTANA

Aparentemente, grande parte dos autores bíblicos — Lucas e Paulo, com certeza — tinham algum tipo de educação helenística, fazendo com que existisse uma padronização de estilo na escrita. Quando surge a crítica retórica para se definir subgêneros das epístolas do Novo Testamento, a discussão vai muito além de o conteúdo ser didático ou pessoal.

Muitos classificam o estilo de literatura da epístola aos Filipenses como uma carta de amizade, enquanto Romanos seria mais diplomática, seguindo, em diversos aspectos, padrões de um embaixador. Isso faz muito sentido, já que Paulo não fundou a igreja em Roma, mas, por outro lado, plantou a comunidade de Filipos durante a sua segunda viagem missionária.

Podemos definir que essa grande parte dos textos do Novo Testamento são epístolas. Elas variam em termos de subgênero, com diversos estilos retóricos. No caso específico de Filipenses, os capítulos 1 e 2 trazem uma saudação que a maioria das cartas de Paulo contém. Até o fim do capítulo 2, existe um "boletim missionário", mas, a partir da seção seguinte, há uma grande orientação a respeito de doutrina, de falsos ensinos e de experiências práticas de vida, que dificultam a distinção entre carta e epístola. Portanto, vemos os dois aspectos muito fortes: o tratamento interpessoal e a questão de lidar doutrinariamente com casos específicos dentro da igreja.

No entanto, voltando para Romanos, dá para perceber um teor muito "doutrinário". Só temos essa impressão porque naquela epístola Paulo inverte a ordem comum e trata das questões mais pessoais da igreja em Roma a partir do capítulo 13. Do capítulo 1 ao capítulo 11, lemos uma teologia voltada para os problemas da comunidade, que experimenta algum tipo de estresse que fica bem nítido no capítulo 14, devido à tensão entre judeus cristãos e gentios cristãos dentro da cidade de Roma.

Por isso tudo, a divisão entre carta e epístola me soa um tanto artificial.

PW

Também me parece que Paulo não tinha muito em mente esse tipo de classificação nem que deveria escrever as epístolas conforme um certo modelo retórico. Ele varia de acordo com a audiência e a sua necessidade, além de mudar conforme envelhecia. Nas cartas mais pastorais, a Timóteo e a Tito, há um tom muito pessoal, quase que de despedida, mas, em outras, como a enviada à Tessalônica, percebemos outras nuances, com temáticas que não aparecem nos demais textos. Então, temos um cenário bem misturado, e talvez nem fosse a intenção de Paulo se adequar a um determinado tipo de retórica, ainda que ele use muita retórica.

Também há o fato de que não existe na língua grega, pelo menos no conteúdo do Novo Testamento, a diferença lexical entre carta e epístola. É tudo epístola. Fazer esse tipo de segregação, a mim, soa um pouquinho artificial. Em todas as cartas de Paulo e do Novo Testamento (Hebreus foge um pouco disso), vemos uma estrutura formal.

Uma carta dessa época precisava seguir três coisas. Primeiro, vem o que nós chamamos de introdução epistolar, na qual há a identificação do remetente seguida do destinatário, com uma breve palavra de bênção e de saudação, exatamente o que lemos no capítulo 1 de Filipenses, mais precisamente até o versículo 11. Seria algo assim: "Bibo para Victor, saudações". Noventa por cento das cartas eram escritas dessa forma. E o que Paulo vai fazer? Ele acrescenta corpo a essa saudação. Notem como ele começa: "Paulo e Timóteo, escravos de Cristo Jesus, escrevemos a todo povo santo em Cristo Jesus que está em Filipos, incluindo os bispos e diáconos" (1.1).

Depois, temos o corpo epistolar, que é toda a parte importante da carta. Nele estão os objetivos e alvos que Paulo quer atingir com sua retórica e sua redação. Chegamos então à parte final, que começa em 4.10. É a finalização, chamada por nós de conclusão epistolar, na qual o apóstolo se dirige de forma particular a algumas pessoas, dá uma saudação e segue com uma bênção ou um rogo de bênçãos. Portanto, embora seja flexível na maneira como embute teologia ou varia a tonalidade de intimidade, Paulo obedece a uma estrutura clássica e já consagrada. É muito interessante notar como a revelação de Deus se amolda a padrões humanos e se acomoda neles, porque são justamente esses padrões que as pessoas entendiam como carta. Em termos de estrutura, essa epístola tem uma forma que pode ser replicada em qualquer outra carta do Novo Testamento.

RB | Procede que as cartas eram lidas para a comunidade?

PW | Todo o conteúdo do Novo Testamento era lido em comunidade.

Até porque, de certa maneira, os próprios Evangelhos eram missivos também. Eles fogem aos moldes das cartas paulinas, mas se encaixavam como correspondências. Quando foram escritos, foram escritos como correspondências. O escrito de Lucas, por exemplo, tem uma dedicatória, assim como Apocalipse, com a tônica das igrejas da Ásia. | VF

TROCA DE CORRESPONDÊNCIAS

Havia uma troca dessas cartas entre as igrejas? Há essa especulação em relação a Filipenses e Colossenses. Fala-se até de uma epístola de Paulo aos laodicenses, que não chegou a nós. Observando o texto bíblico, conseguimos enxergar a possibilidade dessa correspondência? | RB

A evidência da troca de correspondências entre as comunidades cristãs do primeiro século não é interna ao texto. Porém, a quantidade de manuscritos que nós temos indica que rapidamente as comunidades entenderam que aqueles textos eram importantes o suficiente para serem compartilhados. Logo surge a ideia de um *corpus* paulino, ou seja, um conjunto de documentos de Paulo viajando juntos como se fosse um primeiro minicânon durante o primeiro século. Além disso, 2Pedro nos dá alguma evidência de que os escritos de Paulo eram de conhecimento mais ou menos geral entre as comunidades cristãs. | VF

RB | Eram até difíceis de ler, né? Afinal, Pedro escreveu: "Ele trata dessas questões em todas as suas cartas. Alguns de seus comentários são difíceis de entender, e os ignorantes e instáveis distorceram suas cartas, como fazem com outras partes das Escrituras. Como resultado, eles próprios serão destruídos" (2Pe 3.16).

VF | Exatamente! Pedro falar daquilo que Paulo ensinou e escreveu é sinal de que os ensinamentos de Paulo já eram difundidos entre as comunidades. Temos alguns elementos internos do texto, pouca coisa, mas que nos levam a esse tipo de conclusão.

PW | Nesse caso específico de 2Pedro, Pedro coloca esses tais escritos de Paulo no mesmo nível dos textos do Antigo Testamento. Já há uma evidência interna no texto do Novo Testamento de que algumas cartas de Paulo eram reconhecidas como canônicas e normativas nas igrejas.

AUTORIA, DATA E LOCALIZAÇÃO DA CARTA

RB | Quando falamos de introdução de algum livro, sempre discutimos a questão da autoria. Em nossa Bíblia já está lá: "Carta de Paulo aos Filipenses", mas a gente sabe que algumas epístolas são questionadas. Por que isso não acontece com Filipenses?

PW | Antes de mergulharmos nessa questão, acho que

caberia dar um panorama atual de como está a aceitação acadêmica sobre a autoria de Paulo e suas treze cartas. Sete são consideradas indiscutivelmente paulinas: 1Tessalonicenses, Gálatas, 1Coríntios, Filipenses, Filemon, 2Coríntios e Romanos. Temos algumas outras cartas sobre as quais há dúvidas: Colossenses e 2Tessalonicenses. Liberais e muita gente erudita também do meio mais conservador vai considerar como pseudoepigráficas (ou seja, "falsa autoria", livros cuja autoria era atribuída a personalidades importantes da Bíblia, mas que, na verdade, foram escritos por outras pessoas) Efésios, 1Timóteo, 2Timóteo e Tito.

Não há um consenso da autenticidade quanto à autoria em todas as cartas. Existe discussão — e uma discussão acalorada — já há dois séculos com relação a esse assunto. Além disso, entram aí as tais cartas perdidas de Paulo, que são mencionadas no próprio *corpus* paulino. Por exemplo, teríamos uma terceira carta aos coríntios ou até uma quarta carta aos coríntios.

ALEXANDRE MIGLIORANZA

Na verdade, a nossa 1Coríntios é 2Coríntios, certo?

PW

Pois é, existiu uma carta anterior à nossa 1Coríntios, que se perdeu. Paulo fala dela em 1Coríntios 5.9. O Bibo fez referência a tal da epístola aos laodicenses. Ela está referenciada em Colossenses 4.16. Quem achar alguma coisa vai ganhar o prêmio de biblista do ano, porque essas cartas são só mencionadas e, pela provisão de Deus, não vieram à tona — e provavelmente nunca virão, porque já viraram pó há bastante tempo.

RB | Outra discussão quando se fala em relação a cartas e tudo mais é a data e local de escrita. Onde Paulo estava?

AM | A primeira coisa a ser dita: Paulo é um prisioneiro, e ele mesmo repete isso ao menos três vezes no capítulo 1, nos versículos 7, 13 e 16. A partir daí, precisamos entender onde ele estava preso. Pelo que sei, existem ao menos três hipóteses: Roma, Cesareia, e alguns chegam a colocar Éfeso como lugar de origem da carta. Aliás, Éfeso começa a ganhar cada vez mais adeptos, mas creio que, academicamente, são Roma e Cesareia que disputam a questão do local da prisão de Paulo.

Roma tem o peso da tradição, tanto que a maioria a classificará como origem por causa da referência de Paulo à guarda pretoriana, a "guarda do palácio" (1.13), porém não acho que isso seja um argumento tão relevante, embora seja um válido. Tudo naquela região era Império Romano e, dependendo da cidade e da importância dela, haveria um destacamento especial dessa tropa, que, necessariamente, não estava em Roma. Vale lembrar que Filipos havia ganhado recentemente um *status* especial dentro do Império.

RB | A "pequena Roma".

AM

Exatamente. Antes, ela era uma cidade como qualquer outra, mas, à época de Paulo, ganhou um *status* de colônia romana. Aliás, esse pode ser um dos motivos pelos quais Paulo escreve aos filipenses. Por que ele escreve: "Filipenses, a nossa pátria está nos céus"? Porque, com essa nova situação, pode ser que alguns irmãos tenham se enchido de orgulho. No fim das contas, o apóstolo diz: "Gente, baixa a bola, ok? Eu também sou romano, e a nossa pátria está nos céus".

Retornando: Roma tem ainda o peso da tradição. Por outro lado, Cesareia tem a seu favor o fato de que Paulo foi mantido como prisioneiro lá por dois anos. É um fato narrado até no livro de Atos, e ele tinha um relativo acesso aos seus amigos.

VF

Agora, a questão é a seguinte: foi tudo escrito da mesma prisão? Uma vez que aceitamos isso, assumimos que a epístola é um documento único. Porém, se falamos de Éfeso, é um documento mais antigo, lá pelo ano 55 d.C. Se mudarmos para Cesareia, o que parece ser a hipótese mais viável, pois há questões de proximidade com Filipos... Aí há uma série de suposições que realmente ficam para a imaginação do erudito. Se estamos falando de Éfeso e Cesareia, certamente é um documento mais antigo. Se estamos falando de Roma, é um documento mais recente.

CACAU MARQUES

Paulo é fogo também, né, cara? Ele gasta um tempão botando teologia na abertura da carta, e nem para dizer de onde escreve!

RB | Podia ajudar a gente. *(risos)*

PW | Paulo não faz isso em nenhum lugar. Faltou colocar a data também: "Roma, 2 de maio...".

VF | Isso é uma pista interessante a respeito da relação que Paulo tinha com essas comunidades. Quando ele diz que é prisioneiro, a gente consegue deduzir, com absoluta certeza, que embora não especifique as condições nas quais se encontra, a comunidade de Filipos tem essa ciência. Os filipenses conhecem essas condições, e podemos presumir que a comunidade entende essa situação de calabouço da qual o Bibo estava nos falando. Aliás, qualquer mecanismo coercitivo da Antiguidade sempre será mais rigoroso e mais rígido do que aqueles que desenvolvemos a partir do Iluminismo e do positivismo, de duzentos anos para cá. Então, certamente faz bem que a gente entenda que essas condições de prisão, mesmo na Antiguidade clássica, não respeitavam a Declaração Universal de Direitos Humanos.

RB | Olha só que a *Bíblia de Estudo NVT* diz aqui em relação à data e ao local: "Não há consenso a respeito da data nem do local da redação das cartas da prisão (Efésios, Filipenses, Colossenses e Filemom), embora Paulo afirme tê-las escritos na cadeia. São tradicionalmente associadas a Roma, onde Paulo ficou preso em duas ocasiões (60–62 d.C. e 64~65 d.C.), mas, em tempos mais recentes, estudiosos têm argumentado em favor de Éfeso (53~56 d.C.). Durante o período de dois a três anos em que Paulo permaneceu entre os efésios, enfrentou muito oposição e sofrimento" [p. 1941].

As prisões romanas

Por André Reinke

Esqueça tudo o que você sabe sobre prisões modernas, se quiser entender as prisões romanas. Elas não tinham função de condenação, como nos tempos atuais. Não havia o conceito de punir alguém com a privação de sua liberdade durante um tempo como castigo por um crime. A prisão era o local de encarceramento do acusado de um delito até que este fosse apresentado ao tribunal, ainda que a espera durasse alguns anos. Por isso, na Antiguidade, o preso não era um condenado; era alguém aguardando julgamento.

O tipo de prisão que mais se aproximava da ideia de encarceramento moderno era a cela mantida nas casas privadas pelos chefes de família, chamada *ergastulum*, onde eram mantidos escravos rebeldes ou até mesmo algum membro da família penalizado pelo pai. Havia também a possibilidade do *carcer privatus*, onde o credor podia manter devedores que não pudessem ou não quisessem quitar suas dívidas. O confinamento durava no máximo dois meses; depois de anunciar a dívida durante três dias seguidos no mercado público, se não fosse paga, os devedores poderiam ser executados ou vendidos como escravos.

No caso de julgamento público, havia diversos tipos de custódia para os acusados. Poderia ser determinada uma *custodia militaris*, na qual o preso ficava sob vigilância de um soldado, geralmente mantido em alguma instalação militar ou mesmo em uma casa particular. Normalmente o preso tinha as mãos acorrentadas a um soldado. Outra forma era a *custodia libera*, para pessoas importantes da sociedade romana, na qual o acusado ficava sob tutela de um magistrado ou senador, que assumia a responsabilidade pelo comparecimento do réu ao julgamento. Finalmente, havia a *custodia publica*, o encarceramento mais comum e também o mais terrível. Talvez a palavra mais adequada para essa prisão seja "masmorra". Era um lugar escuro e de calor sufocante em regiões mediterrâneas, ou frio e úmido nas britânicas. Os encarcerados passavam fome e sede, pois a ração era mínima, uma vez que o poder público esperava que amigos ou familiares atendessem às necessidades dos presos. Por isso, não havia restrições às visitas, o que dava oportunidade aos guardas para subornarem visitantes, algo que era visto com naturalidade.

A prisão da *custodia publica* era construída para provocar terror, privando o prisioneiro de qualquer dignidade a fim de induzir confissões por meio de tortura física e psicológica. Era comum a presença de troncos onde pés — ou ainda mãos e cabeça — eram prendidos em posições intencionalmente desconfortáveis. Muitas dessas prisões seguiam um modelo semelhante a uma prisão situada em Roma, a *Tullianum* (chamada *Mamertinus* na Idade Média). Ela ficava a sudoeste do Fórum romano, no subterrâneo da sede onde os magistrados realizavam seus julgamentos. Consistia basicamente em uma pequena sala escavada no chão entre as rochas, coberta com um teto de pedra com um buraco por onde os presos eram baixados e puxados. Os acusados ficavam amontoados durante muito tempo, no escuro, em meio ao fedor de seus próprios excrementos. Nessas condições sanitárias, doenças e morte eram cotidianas.

Uma vez julgados, os inocentados eram livres, enquanto os condenados saíam da prisão para enfrentar suas penas. E estas variavam de acordo com a classe social do preso e a gravidade de seu delito. Escravos sempre sofriam mais severidade do que livres, e os pobres, mais do que os ricos ou influentes. Para os romanos, os crimes mais horrendos eram a traição a Roma, o adultério e o assassinato (especialmente por envenenamento). O tipo de pena era variado e criativo: deportação, trabalho forçado em minas, multas e espancamentos eram a prática nos casos em que não se determinava a morte. Já na pena capital, para crimes considerados muito graves e chamados *sumam suplicia* (maiores punições), prevalecia o espetáculo público: caso da crucificação (que Cícero considerava a mais cruel e asquerosa das execuções), ser jogado às feras ou queimado vivo na arena. A publicidade de tais execuções tinha a intenção de dissuadir potenciais criminosos por meio do exemplo, o que foi usado desde o início do Império e cresceu até níveis absurdos no terceiro século e no início do quarto d.C., dando origem aos muitos testemunhos de martírio do cristianismo.

PANORAMA DA CARTA

RB | Para iniciarmos o final de nosso papo, acho que seria interessante trazermos um panorama da carta de Paulo aos Filipenses. Qual o tema central dessa epístola?

CM | Quando lemos direto (que é a melhor maneira de ler essa carta), notamos o carinho que Paulo tem pela igreja e a forma afetuosa como ele fala.

Também vemos uma preocupação do apóstolo em dar ânimo e encorajar a comunidade a continuar firme em sua vida santa. Lendo Filipenses, sabemos que Paulo recebeu uma oferta deles, a qual chegou pelas mãos de Epafrodito. A carta é uma resposta a essa oferta, além de tratar alguns temas locais, com uma preocupação bem nítida em encorajar os cristãos por causa da perseguição que crescia.

Há uma contradição interessante e sempre mencionada quando o assunto é Filipenses: Paulo preso falando sobre alegria e ânimo e mostrando como Deus reverte o mal em bem. Aquilo que poderia ser visto pela igreja como derrotas pontuais do movimento de Cristo, na verdade, ainda era evidência de que o Senhor estava no controle!

Às vezes, as pessoas pensam assim: "Puxa! Essa parte de contexto, de estilo, é tão inútil para a minha vida, porque eu já tenho o texto na minha mão, não é? Por que não posso só ler o texto?". É claro que você pode! Ele vai edificar você, mas há algumas coisas muito bonitas de tudo o que se falou até agora, e uma delas é como Paulo se dedica na própria arte de transmitir essas palavras. Por que isso é especialmente importante para nós? Porque eu acredito que os pastores e os crentes desta geração são os que mais escrevem na história da humanidade. Estamos a todo momento escrevendo no WhatsApp, em redes sociais... Quanto mais entendemos a prática da escrita e quanto mais recursos temos para dominá-la, melhor cumprimos o nosso ministério escrito.

Paulo fazia de tudo para dominar o estilo, conversar com a igreja, colocar teologia onde não se coloca e deixar as ideias bem escritas, mesmo com as limitações que a gente sabe do grego paulino. Isso nos deve estimular a saber usar os *emojis*, por exemplo. Os *memes*! Vou contar uma coisa aqui: ninguém usa *meme* nessa internet cristã como o sr. Victor Fontana. Nesse período pandêmico que o mundo tem enfrentado, o Victor acha que não percebi, mas percebi: ele estava usando um *meme* para encorajar os seus irmãos, e foi bênção de Deus a maneira como ele utilizou um *meme* comigo no WhatsApp! Claro, essa questão não tem a ver com o tema central: Paulo não faz *meme* em Filipenses. Porém, a gente tem de compreender que isso faz parte do nosso ministério.

Aprendi esse negócio do *meme* com o Tiago Silva. Ele fala assim: "O dia está ruim? Manda um *meme* para alguém". | VF

Gente, um ponto que me veio à cabeça enquanto o Cacau falava é que, de certa forma, escrever hoje em dia está muito fácil, né? Podemos redigir sem parar o quanto quisermos! Paulo, no entanto, tinha uma limitação de material. Que suporte era utilizado para as cartas daquela época? | RB

Ele utilizava o papiro, pois o pergaminho era muito caro e foi se popularizar só a partir dos séculos 4 e 5, quando começaram a produção de códices. | PW

Mesmo assim, o papiro não era barato como o papel que a gente compra hoje em dia. Paulo tinha à disposição tinta feita com minerais ou até carvão misturado a um solvente, óleo ou item semelhante. Detalhe: o apóstolo tinha que pagar esse material todo do próprio bolso.

Já falamos da prisão de Paulo, e qualquer agente dos direitos humanos ficaria arrepiado com a condição das prisões antigas. Na maioria dos casos, os presos tinham que arcar com as próprias despesas. Não havia "almoço de graça", por exemplo. Além de investir em sua comida e em sua subsistência dentro da prisão, para a confecção das cartas ele precisou tirar do montante que ganhava das igrejas, do próprio bolso ou dos recursos que poderia angariar dos seus apoiadores.

RB | Essa questão toda me lembra que a igreja de Filipos provavelmente começou no evento envolvendo a prisão.

AM | Sim! Foi a primeira igreja de Paulo em solo europeu. Houve a conversão do carcereiro, e a partir dela nasce a comunidade cristã em Filipos.

RB | Olha só o que diz aqui a introdução da *Bíblia de Estudo NVT*: "Como é que podemos viver como cristãos em um mundo não cristão? Que atitude devemos ter quando as pessoas ao redor são hostis à nossa fé? Paulo enviou esta carta comovente para dar ânimo aos cristãos perseguidos da igreja em

Filipos e fortalecê-los em meio às dificuldades que enfrentavam. O apóstolo redigiu a carta enquanto estava preso, ele próprio sofrendo por causa de sua fé, mas escreveu com alegria e mostrou que o cristão pode ser fervoroso na caminhada com Cristo, quaisquer que sejam as circunstâncias" [p. 1940].

Capítulo 01

Rodrigo Bibo, Alexandre Miglioranza,
Cacau Marques, Victor Fontana e Paulo Won
(BTCast 342).

ESCRAVOS DE CRISTO

Vamos começar a olhar para o primeiro capítulo de Filipenses. Obviamente, não temos como explorar todos os versículos, todos os meandros, mas aquilo que julgamos ser significativo e edificante nós vamos compartilhar com vocês aqui, neste episódio sobre Filipenses 1. | RB

Já na saudação há uma coisa interessante que eu queria que pontuássemos na nossa conversa: Paulo coloca Timóteo também como signatário da carta.

Sim, embora Paulo depois continue usando o singular "eu" em vez do plural "nós"... | AM

Ele considera o pupilo dele aqui, acho interessante. "Paulo e Timóteo, escravos de Cristo Jesus, escrevemos a todo o povo santo em Cristo Jesus que está em Filipos, incluindo os bispos e diáconos" (1.1). Tem dois pontos que eu queria considerar e queria a ajuda de vocês para entender, que é essa | RB ideia de que Paulo se denota como escravo já na abertura da carta. Não é apóstolo, é escravo. Algumas traduções colocam "servo", mas eu acho interessante aqui que a NVT já opta por "escravo", que é o significado mais provável do grego *doulos*. "Caramba, ele está se colocando como um escravo, alguém realmente sem direitos!" Qual o impacto dessa afirmação aqui em Filipenses, já que Filipos é uma cidade que tem cheiro de Roma?

PW | Estamos na introdução epistolar convencional da Antiguidade clássica. Vimos isso no episódio passado. Na época em que Paulo está escrevendo sua carta, o papel (papiro na maioria dos casos, mas também pergaminho) era enrolado. Não tinha aquela convenção de se colocar dentro de envelope. Então, a forma mais rápida de identificar quem enviava e quem recebia, ou seja, o remetente e o destinatário, era colocar isso já na primeira frase da carta. É por isso que está "Paulo e Timóteo". É uma autoria conjunta, ainda que Paulo seja o autor principal, e ele qualifica a si mesmo, junto com Timóteo, como escravos, *douloi*, e "escravos de Cristo Jesus". Se observarmos todas as introduções epistolares, notaremos que a forma mais usual de apresentação de Paulo é como apóstolo de Jesus. Está assim em 2Coríntios, Efésios, Colossenses, 1 e 2Timóteo. Depois, ele vai se classificar como "chamado para ser apóstolo" em Romanos, 1Coríntios e Gálatas. Depois, na ordem, é que a gente tem essa denominação "escravo de Cristo Jesus", que no caso em Filipenses vai ser associado também a Timóteo, que é o seu companheiro. E, por fim, temos um ponto muito particular na carta de Filemom, em que Paulo se classifica como "prisioneiro de Jesus Cristo".

Então, parece que, de acordo com o destinatário, de acordo com os propósitos, ele usa qualificações diferentes. Por exemplo, em Corinto, ele vai realçar a questão do seu apostolado e é assim que vai se identificar. Aqui em Filipenses, ele se identifica como *doulos*, ou seja, como servo, que pode ser traduzido como escravo, depende muito do contexto, mas é assim, de uma forma humilde, que Paulo vai se colocar. Até porque, no decorrer de sua carta, ao falar da alegria, ao falar até da pessoa de Jesus, um ponto muito importante que ele tocará diz respeito à humildade de Cristo, esse Cristo que a si mesmo se humilhou para depois ser exaltado. Parece que ele vai ditando o tom a partir dessas primeiras linhas, que muita gente lê de forma despretensiosa, mas são justamente as primeiras linhas que dão o batuque, o tom correto, para ingressarmos no corpo inteiro da carta.

Então, ele é "escravo de Cristo Jesus", e repare que Cristo é a forma com a qual Paulo gosta muito de se referir a Jesus. Por que ele coloca Cristo primeiro e Jesus depois? É um ponto que muitas pessoas têm discutido, mas a meu ver o autor está pondo em evidência a questão do Cristo, do Messias de Israel, qualificando esse Jesus como aquele que cumpre todas as expectativas do Antigo

Testamento e que é apresentado a uma igreja gentílica de acordo com a linguagem comum da época. Essa é a forma padrão com que Paulo vai se dirigir, não somente aos filipenses, mas aos leitores de todas as suas cartas, dando o tom a partir de sua apresentação.

Na verdade, a nossa tendência primeira é encararmos sempre a palavra *escravo* de forma anacrônica, por causa de toda a nossa herança escravocrata aqui no mundo de fala portuguesa e hispânica. Nós associamos o escravo diretamente à questão dos escravos negros, escravos africanos. É um outro tipo de contexto. Nós estamos no mundo de dois mil anos atrás, no mundo clássico, em que os escravos eram considerados pessoas baixas da sociedade, como matéria, como propriedade de seus senhores. Entretanto, existiam escravos que eram muito mais ricos e poderosos do que plebeus, do que pessoas comuns da sociedade, do que artesãos. Depende muito de quem você é escravo. Se você é escravo, por exemplo, do imperador ou da alta aristocracia, você, como escravo, poderia até ser utilizado como alto conselheiro. Está cheio de evidências disso na literatura clássica. Também temos os escravos que são adquiridos como espólio de guerra, temos escravos de forma hereditária, temos pessoas que se venderam à escravatura. Entretanto, quando usamos o termo "escravo", precisamos ter muito cuidado para não generalizar toda a classe. É um grupo semântico muito amplo o que temos aqui em *doulos*. Parece que, quando Paulo se chama de servo, o termo está mais associado à sua relação com o mestre, com o Senhor Jesus Cristo, com o *kyrios*, a relação de obediência total, a relação de subserviência, a relação de serviço. Não necessariamente aquele escravo surrado, acorrentado que está no tronco apanhando, que tem de fazer tudo o que o mestre manda de forma mecânica. Talvez esteja mais ligado à questão do seu relacionamento de total obediência em relação ao seu Senhor.

AM

Cabe lembrar que, nessa questão de Paulo estar ligado à imagem do escravo, ele se sentia assim em relação a Cristo. De fato, não é como se Cristo o estivesse chicoteando. Mas eu acredito que, até pelo fato de Paulo estar preso, como destacamos no episódio anterior, na introdução a Filipenses — e as prisões daquela época eram calabouços, eram poços mesmo: Paulo estava num buraco por ter pregado o evangelho —, então ele junta também essa questão de estar ligado a Cristo, de formar praticamente um só corpo com Cristo, mesmo porque Filipenses também vai falar da união, e o fato de Paulo estar acorrentado fisicamente reforça essa ideia. Essa imagem do escravo serve para diversas coisas. Escravo porque ele está preso por causa da pregação do evangelho; escravo porque ele se sente ligado a Cristo; e, pelo fato de estar ligado a Cristo, ele pregou o evangelho. E, por pregar o evangelho, ele estava preso. Então, é uma imagem muito poderosa que ele usa. Além da imagem poderosa, também transmite, como o Paulo Won destacou, a humildade, que também vai ser um dos assuntos que Paulo aborda nessa carta aos Filipenses.

VF | Essa questão ajuda a responder um pouco àquela pergunta que o leitor pode fazer, e que o Cacau resgatou bem no episódio passado, que é o seguinte: "Puxa vida, para que eu preciso saber todas essas questões introdutórias a respeito da carta? Não basta só ler?". Pois então, pense no seguinte: Paulo foi preso por pregar o evangelho. Preso por quem? Pelo Império Romano, esteja ele em Cesareia, esteja ele em Roma, esteja ele em Éfeso. E aí ele começa a carta dizendo: "Paulo, escravo". A pergunta que o nosso Paulo, o Won, fez vem na hora: "Mas espera aí, escravo de quem?". Porque o que acontece é o seguinte: se você entende o que é o calabouço no contexto da Antiguidade clássica, vai entender que aquela pessoa precisava se sustentar no calabouço, e na medida em que ela está no calabouço, tem a sua liberdade tolhida. Tolhida por quem? A relação de similitude à situação de um escravo é: a quem pertence este escravo? Claro! É escravo de César, é óbvio que ele é escravo do imperador naquele contexto, sem o título honorífico de ser um escravo de César. Porque ser o escravo do imperador oficialmente é um título de honra. Aliás, há mais de quatro mil inscrições de sepultamentos em que na sepultura consta "escravo de César" como título honorífico daquela pessoa que foi sepultada, o que é uma coisa interessante.

Mas, quando Paulo inicia a carta com "Paulo, escravo" e fala "escravo de Cristo", do Messias, do rei dos judeus, de Cristo Jesus, como esse título messiânico que ele aponta, esse é necessariamente um discurso com implicações anti-imperiais. Então, quando você traz, Bibo, a questão de Filipos ser a pequena Roma, quando a gente traz a questão de Paulo estar preso, quando a gente traz o contexto de acorrentamento, a gente precisa traduzir essa palavra *doulos* aqui como escravo. Não cabe a palavra servo. Se você tira a palavra escravo, você complica. Eu entendo o tradutor que traduz como servo, porque esse tradutor quer nos lembrar do seguinte: é escravo, mas não é escravo nos moldes do escravagismo, do tráfico negreiro que aconteceu nas Américas. Então, nem todo escravo é torturado, nem todo escravo está no pau de arara, nem todo escravo na Antiguidade oriental vai responder para um capitão do mato. Eu entendo a opção do tradutor quando ele escolhe a palavra "servo", só que aí se perde demais. A questão da condição de prisioneiro de Paulo é similar à condição de quem? É similar à condição dos escravos do Império Romano. E aí Paulo vai lá e inverte a jogada, dizendo: "Não, não, não. Escravo de Jesus Cristo".

Uma outra coisa que podemos acrescentar à questão de Paulo como *doulos*, como escravo de Cristo, é que justamente essa perícope, que termina no versículo 11, conclui com "a glória e o louvor de Deus". Então, quando Paulo se põe como | AM escravo, que não tinha glória nenhuma, que não tinha louvor nenhum, ele está se colocando no lugar dele e usando a sua vida para a glória de Deus. Tipo: "Galera, eu estou aqui, preguei o evangelho, mas a glória não é minha, não tenho nada em mim mesmo, porque toda a glória, todo o louvor está em Cristo". E um dos significados de glória também é presença, é essência, Paulo está se diminuindo e colocando Cristo em evidência. Ele diz: "Eu sou o escravo, não tenho glória nenhuma, e quem aparece, ou quem tem a glória, ou quem tem a essência, a presença, é Cristo". Então, no capítulo 2, no próximo episódio, a gente vai ver que Paulo diz o seguinte: "Quem aparece é Cristo, quem tem a glória é Cristo". Só que, mesmo Cristo tendo a glória, ele se humilhou a si mesmo. Então veja os altos e baixos que Paulo coloca nesse texto. Isso é riquíssimo, essa ligação entre escravo de Cristo, glória de Cristo e, depois, humilhação de Cristo.

LIDERANÇA NA IGREJA PRIMITIVA

RB | Estamos na primeira linha e ainda tem muita coisa para ser dita, coisas essenciais, e eu até quero avançar. Mas antes preciso perguntar para os meus amigos da mesa sobre esses dois títulos que Paulo faz questão de colocar na saudação, que são "bispos e diáconos". Já havia uma espécie de hierarquia na igreja de Filipos? Ou até mesmo na igreja primitiva? Bispos e diáconos são sinônimos? Como é que a gente entende aqui esses dois títulos que Paulo insere já na abertura da carta aos Filipenses?

O modelo de governo presbiteriano desde o começo da igreja... *(risos)* | VF

Um dos mitos que existem, analisando a história da igreja, é que a igreja que nós consideramos como primitiva era uma igreja anárquica, ou seja, não tinha cabeças que, de alguma maneira, organizavam todo o funcionamento... | PW

Então era batista, né... *(mais risos)* | AM

Desde o começo, Jesus Cristo mesmo instituiu a figura dos Doze, que são chamados como apóstolos após a ascensão de Jesus. Esses Doze, no primeiro momento, tinham o controle quase que geral e irrestrito de todas as atividades da igreja, algo que vai começar a mudar na virada de Atos 6 para Atos 7, quando se percebe que não é algo muito sábio os apóstolos se dedicarem a todas as prerrogativas e atividades da igreja. Aí nós temos a instituição dos diáconos, ou seja, uma segregação de atividades: enquanto os apóstolos estão mais focados na oração, na mensagem e na pregação, os diáconos serviriam as mesas, porque é mais o caráter diaconal de mordomia. Isso não quer dizer, por outro lado, que existisse na igreja primitiva uma estrutura semelhante à estrutura hierárquica que temos dentro de nossas igrejas hoje. Por exemplo, se eu for falar | PW da igreja presbiteriana, são os oficiais. Diáconos para cima é tudo oficial, porque são ordenados com imposição de mãos. Então, não existia essa noção. E quando Paulo fala de epíscopos e diáconos, porque a palavra "bispo" é *episcopos*, parece que há uma diferenciação de função. O epíscopo é aquele que supervisiona mais de cima todas as atividades, e o diácono é aquele que está mais "no chão da fábrica", vamos dizer assim. Mas associar esse tipo de divisão às funções episcopais que se desenvolveram depois do quarto e quinto século na igreja romana e às funções diaconais que nós temos hoje é uma distância muito grande. A igreja ainda não amadureceu esse sistema hierárquico. Nós vemos resquícios, nós vamos ao nascedouro de alguma coisa parecida. Por exemplo, em alguns textos Paulo faz uma equivalência entre epíscopos e presbíteros em sua correspondência com Timóteo, não fica claro nenhuma hierarquia de quem está acima, quem está embaixo, quem serve quem. Então eu acho que é mais uma questão funcional, menos associada àquilo que nós temos hoje. É o nascedouro, por assim dizer.

RB | Mas indica uma liderança do bispo, por assim dizer, uma liderança da igreja, uma supervisão, mas não aquela ideia de que é maior ou menor, mas a questão de função, como você mesmo acabou de colocar.

PW | Quem são os epíscopos aqui? Não estamos em um governo episcopal. O governo é literalmente apostólico. E, às vezes, os apóstolos se qualificam como presbíteros em alguns textos. Os epíscopos podem ser alguns apóstolos, não sabemos. Então, está meio que em suspense, não conseguimos cravar quem são, como funciona. A gente vai mais pela função que eles tinham.

A GENIALIDADE DE PAULO

RB | Galera, eu não posso sair da saudação sem antes pedir que vocês expliquem a questão do versículo 2: "Que Deus, nosso Pai, e o Senhor Jesus Cristo lhes deem graça e paz". Essa mescla de saudação que Paulo faz aqui, eu acho que seria muito legal os ouvintes entenderem, visto que numa leitura normal, isso passa batido. Aliás, é o cumprimento de muitas igrejas. Alguns falam "Paz do Senhor", outros falam "Graça e paz". Mas tem um negocinho bacana aqui para a gente entender, não é mesmo?

VF | Graça e paz são dois termos teológicos importantes para Paulo, na verdade para o Novo Testamento de maneira geral. A ideia de graça, de favor imerecido, é fundamental para nossa soteriologia, mas também para nossa eclesiologia, para o jeito que a gente faz ministério. Não podemos esquecer: Paulo se coloca de joelhos por causa da graça de ter sido entregue a ele o ministério de pregar o evangelho aos gentios. Então, a graça é uma coisa que vai permeando a teologia paulina de maneira geral. A ideia de paz remete ao *shalom* do Antigo Testamento, do hebraico, que não é paz como ausência de guerra, mas como harmonia, uma grande harmonia que é obtida por meio do agir de Deus ao longo da história.

Agora, o que é interessante aqui na saudação: Paulo faz uma mescla de saudações que são tipicamente utilizadas entre gentios e judeus. Os gentios se cumprimentavam com *graça*, e os judeus se cumprimentavam com *shalom*. Como Paulo prega a judeus e gentios, ele junta as duas como termos teológicos também. Então, a "graça e a paz" a gentios e judeus. Paulo é gênio!

FRUTO DA JUSTIÇA

RB | Outra coisa que eu gostaria de pontuar. Paulo segue falando da gratidão, de como os filipenses participam com ele dessa graça na confirmação das boas-novas. Ele os elogia e mostra seu carinho para com eles e como ele aceitava sua oferta, e isso é muito interessante, reforça essa amizade. Mas tem algo que eu queria que vocês me ajudassem a entender no versículo 11, que eu penso que dá um caldinho legal aqui: "Que vocês sejam sempre cheios do fruto da justiça, que vem por meio de Jesus Cristo, para a glória e o louvor de Deus". O que seria ser cheio do fruto da justiça?

AM | O ponto-chave é a justiça. Nós temos de lembrar que justiça é, antes de tudo, uma concepção relacional, antes de ser uma concepção jurídica. Aqui no versículo 11, Paulo está se referindo também ao restabelecimento de nossa relação com Deus. E como a nossa relação com Deus foi restabelecida? Ele mesmo responde: por meio de Cristo. Por meio de Cristo nós estamos unidos. E quando todos estão unidos em Cristo, quem é que aparece, quem é que fica evidente numa terra cheia de pecados, numa terra destruída, numa terra maltratada? Deus! Deus fica evidente por meio da união que nós todos temos em Cristo. Então, sempre quando nós tratarmos da questão da justiça, é muito bom começarmos por essa concepção da justiça como relação com Deus.

RB É um bom começo, principalmente em vista do contexto maior da carta, quando Paulo fala em 2.12: "Trabalhem com afinco a sua salvação, obedecendo a Deus com reverência e temor". Entre outras admoestações, poderíamos entender fruto da justiça também como as coisas que nós fazemos juntos com Deus e que refletem a glória de Deus?

AM Justamente, você tem razão. Porque olhe os versículos 4 e 5 do capítulo 1: "Sempre que oro, peço por todos vocês com alegria, pois são meus cooperadores na propagação das boas-novas". Então, essa questão do fruto de justiça está muito ligada à questão da cooperação na propagação das boas-novas. A linha de pensamento é exatamente essa, a meu ver.

O IMPORTANTE É CRISTO SER ANUNCIADO

RB | Caminhando aqui no capítulo 1, Paulo vai falar, a partir do versículo 12, da alegria que sente por Cristo ser anunciado. Ele começa a falar de suas prisões, e aí tem um negócio interessante, que dá uma discussão bacana também: Paulo, a partir do versículo 15, fala daqueles que anunciam a Cristo por inveja, por rivalidade, por ambição ou ambição egoísta, que é uma tradução possível, ou seja, pessoas que anunciam a Cristo pelos motivos mais torpes. Ele fala que essa galera que anuncia Cristo com as motivações erradas até pode lhe causar algum desconforto, causar um sofrimento, como ele diz ali no final do versículo 17. Mas nada disso importa. Veja o que ele escreve no versículo 18: "Mas nada disso importa. Sejam as motivações deles falsas, sejam verdadeiras, a mensagem a respeito de Cristo está sendo anunciada, e isso me alegra. E continuarei a me alegrar". Quer dizer que, já naquele tempo, havia pessoas que pregavam pelos motivos mais escusos. Mas eu queria entender um pouquinho dessa colocação dentro daquele contexto. Hoje eu posso pensar em vários exemplos, mas talvez fosse um anacronismo. O que Paulo quis dizer?

CM | Eu acho que a gente pode começar pelo que Paulo não está querendo dizer. Porque esse texto às vezes é muito utilizado para fazê-lo falar o que ele não diz. Muitas pessoas vão falar, por exemplo, sobre teólogos da prosperidade...

Eu estava pensando neles... | RB

As motivações deles, por exemplo, podem ser o enriquecimento pessoal, e alguém fala: "Pelo menos estão pregando a mensagem". Na verdade, não. Paulo se alegra de que a mensagem está sendo pregada. De alguma forma, esse tipo de rivalidade que motivava os pregadores não contaminava a mensagem, porque a mensagem é a base para a alegria dele. Então, a mensagem tem que ser uma mensagem pura. O problema que nós criticamos na teologia da prosperidade não é só a motivação de quem prega, mas o fato de que a mensagem está errada também. Então não sobra nada para ter alegria ali, entendeu? Alguma coisa estava acontecendo nessa rivalidade, e não dizia respeito à mensagem. Dizia respeito a outras coisas que envolviam esses pregadores. | CM

A gente sabe que, no contexto do primeiro século da expansão da igreja, alguns itinerantes eram sustentados pela igreja. E aqui há o contexto de uma carta em que o sustento da igreja de Filipos é importante para Paulo, tendo em vista que ele se encontra na prisão. Aliás, é uma das coisas pelas quais ele agradece, pela parceria e tudo mais. | VF

É possível que se esteja falando aqui de pessoas que se aproveitam da generosidade das igrejas, ainda que preguem o evangelho com a mensagem com conteúdo correto. A gente sabe que Paulo faz uma distinção muito clara dessas coisas. Quando o problema é de conteúdo, é anátema! É só pegar Gálatas e isso fica bem claro. Agora, aqui parece não haver mesmo um problema de conteúdo, mas é possível que haja um problema de relacionamento, de interesses de alguém que esteja usufruindo da generosidade dos irmãos de Filipos, como mais ou menos observamos na *Didaquê*, por exemplo. Na *Didaquê*, um escrito importante da igreja pós-apostólica, existem várias orientações a respeito de como se deve ajudar irmãos que são pregadores itinerantes. Aí devemos fazer a seguinte pergunta: por que é que existe a orientação? É porque tem gente abusando. Então, possivelmente o texto está falando desse tipo de contexto, desse tipo de situação, de indivíduos que se tornam pregadores por causa das vantagens que as comunidades generosas propiciam, e não por causa do evangelho mesmo.

RB | Aqui no caso de Paulo essa inveja poderia ser, quem sabe, motivada por sua autoridade apostólica ou sua inteligência, ou talvez vissem Paulo como empecilho para o crescimento de seus ministérios. Me assusta saber que isso aconteceu e acontece. É muito estranho pensar que pessoas pregam a mensagem certa com a motivação errada. Isso me remete a Mateus 7.21-23, que relata esse tipo de servo do Reino, gente que agiu em nome de Deus sem ser por ele conhecido. Como disse o comentarista Lawson: "As motivações de cada crente envolvido no ministério são criticamente importantes para Deus. O que importa não é somente o que dizemos ou fazemos, mas porque o fazemos. Podemos ocultar motivações egoístas quando servimos a Cristo. Não devemos jamais usar nosso ministério cristão como capa para esconder nosso projeto de autopromoção. As motivações mais puras exigem que façamos todas as coisas para a glória de Deus" [p. 59-60]. O que fica para nós é a motivação do apóstolo Paulo, que colocou o reino de Deus acima de qualquer projeto pessoal.

OS DESEJOS DE PAULO

Eu penso que uma das coisas que a gente precisa ler aqui e meditar brevemente a respeito são os desejos de Paulo. Os desejos dele me constrangem profundamente. Porque a gente lê aqui, a partir do versículo 20, como a vida de Paulo é dedicada a Cristo. Já falamos muito sobre isso quando explicamos o termo *doulos* lá no começo da carta, quando Paulo se intitula escravo de Cristo, e isso fica muito evidente agora, quando ele diz o seguinte: "Minha grande expectativa e esperança é que eu jamais seja envergonhado, mas que continue a trabalhar corajosamente, como sempre fiz, de modo que Cristo seja honrado por meu intermédio, quer eu viva, quer eu morra. Pois, para mim, o viver é Cristo, e o morrer é lucro. Mas, se continuar vivo, posso trabalhar e produzir fruto para Cristo" (1.20-22a). Por isso fiz aquele *link* com o fruto da justiça, Paulo produzindo fruto para Cristo são os frutos da justiça. "Na verdade, não sei o que escolher." Olha só o dilema de Paulo! "Não sei que escolher. Estou dividido entre os dois desejos: quero partir e estar com Cristo, o que me seria muitíssimo melhor. Contudo, por causa de vocês, é mais importante que eu continue a viver" (1.22b-24). Paulo, me abraça!

CM | Esse trecho é muito caro para mim, porque ele mostra o papel da doutrina escatológica para a dinamização da vida. Uma acusação frequente que os cristãos recebem é de que, como eles estão pensando no outro mundo, numa ação redentora de Deus, num restabelecimento da ordem vinda de Deus, eles não se ligam muito nas questões terrenas, como as questões sociais, as questões da ecologia, coisas do tipo. Claro que Paulo não está falando nem de questão social, nem de ecologia aqui, mas existe essa ideia de que nós estamos com a cabeça em outro lugar, então vivemos a vida aqui meio que entregues ao sabor da vida. E Paulo está dizendo justamente o contrário, isto é: "Porque eu sei que quando morrer estarei com Cristo, essa vida não é preciosa demais para mim. Então, posso dedicá-la para a missão que eu tenho para cumprir. Assim, eu fico sem saber o que escolher".

É interessante que a dúvida dele não é porque ele tem medo da morte. Ele não está dizendo: "Olha, uma coisa é que é bom estar com Cristo, mas eu tenho que morrer para isso, e isso não é muito legal. Por outro lado, é bom fazer a obra de Deus, mas eu estou preso, e isso também não é muito legal". Não! A morte não tem nenhum papel, não é um peso para ele morrer e estar com Cristo. É muito melhor! Só que é maravilhoso ser o veículo de Deus para a expansão do evangelho e para o fortalecimento dos irmãos da igreja. Então ele diz que seria muito melhor, pessoalmente, estar com Cristo, mas que já não sabe mais o que escolher porque é maravilhoso ser instrumento de Deus na terra, com todos os sofrimentos que ele tem. Acho incrível isso!

E eu ouço um eco disso no último sermão do Martin Luther King, que ele deu um dia antes de morrer, em que ele fala assim: "Nós temos alguns dias difíceis pela frente. Mas isso realmente não importa para mim agora, porque eu já estive no topo da montanha... Como qualquer um, gostaria de viver uma vida longa. A longevidade tem o seu lugar. Mas eu não estou preocupado com isso agora, eu só quero fazer a vontade de Deus. E ele me permitiu subir a montanha. E eu olhei. E eu vi a Terra Prometida. Eu posso não chegar lá com vocês. Mas quero que vocês saibam hoje à noite que nós, como povo, chegaremos à Terra Prometida! E estou feliz esta noite. Eu não estou preocupado com nada. Eu não estou com medo de homem algum. Meus olhos viram a glória da vinda do Senhor". Acho incrível como ele fala: "Porque eu sei que há algo mais, eu não temo morrer, eu não temo homem nenhum". Essa nossa fé quanto ao que nos aguarda, ela não nos paralisa, ela nos dinamiza, nos coloca em movimento, e é uma lição muito bonita desse trecho. Porque é a mesma fé que Paulo demonstra: "Eu sei que estar com Cristo é melhor, mas eu suporto os sofrimentos presentes com alegria, porque tenho a esperança da vida eterna".

AM | Isso, aliás, é um dos significados que podemos dar para o termo "envergonhado" (1.20). Porque o uso dessa palavra também poderia ser "colocado em desgraça", no sentido de ausência da graça, só que, como bem disse o Victor, lá desde o começo da carta Paulo já coloca graça e paz, e depois de tudo isso ele diz: "que eu jamais seja envergonhado", e aí a questão é de que ele não vai estar sem a graça, pelo contrário, ele vai estar plenamente dentro dessa graça, onde estiver ele já está dentro, já vive essa graça plenamente. Por quê? Por causa daquilo que nós conversamos agora há pouco sobre essa questão da justiça, porque ele já tinha certeza do restabelecimento da sua relação com Deus, das suas boas relações com os cooperadores que ele tinha no evangelho (1.5), e por isso ele faz essa crítica à galera que prega a Cristo por ambição egoísta. Vejam que em tudo Paulo é muito lógico, lógico no sentido de que ele coordena bem o seu discurso, mas pensando que ele já está cem por cento dentro desse relacionamento, dessa graça. E aí de novo: por quê? Porque ele é servo de Cristo, porque ele está tão ligado a Cristo que ele é um com Cristo.

RB | Muito bom! Até porque quem prega por ambição egoísta ou prega pelos motivos errados, está pensando nas coisas aqui da terra e não está pensando tanto na igreja, não está pensando tanto no corpo de Cristo. Está pensando em si mesmo e não nas coisas do alto, para já dar um *spoiler* do que vem no próximo capítulo.

PW

Eu acho que a questão da alegria em todas as circunstâncias de que Paulo fala vai muito em consonância com que vocês disseram. Porque se nós temos a visão escatológica certa, por meio da fé, daquilo que nos aguarda e daquilo que em Cristo Jesus já é realidade dentro da vida da comunidade, dentro da vida individual dos cristãos, então essa combinação que eu mencionei no começo, entre alegria e sofrimento, se torna algo que faz sentido. Não dois âmbitos totalmente diferentes, em que eu não possa ter alegria dentro do sofrimento, mas ainda que haja sofrimento, por causa da visão que nos conduz a olhar para o além do sofrimento, eu posso, no momento do sofrimento, estar alegre, não pelas circunstâncias atuais, mas pelo que nos aguarda. Nós vivemos, por exemplo, agora nesses tempos de pandemia, de recolhimento, de sofrimento — e pode ser que sofrimentos piores possam nos abater —, nós estamos num sofrimento de motivação sanitária, mas muitos irmãos estão vivendo o sofrimento por causa de perseguição, e perseguição aguda.

Então, se formos comparar essas duas coisas, pode ser que o nosso confinamento seja algo mais cômodo do que o sofrimento deles, mas tanto nós como eles não vivemos com os olhos focados naquilo que está nos acontecendo agora, mas naquilo que nos espera e que nos inspira esperança e alegria. Paulo começa a carta falando de alegria, da alegria que ele tem mesmo quando as pessoas estão pregando por contenda, e finalmente, no trecho que encerra o primeiro capítulo, ele fala da alegria que é experimentada em meio à comunidade, mesmo que essa comunidade esteja sofrendo, esteja passando por momentos críticos, mas que são superáveis pelo amor de Jesus Cristo. E é assim que ele termina: "Pois vocês receberam o privilégio não apenas de crer em Cristo, mas também de sofrer por ele" (1.29). E observe só o que Paulo diz: "Estamos juntos nessa luta" (1.30). Eu, como apóstolo, e vocês, os filipenses, nós estamos juntos, e "vocês viram as dificuldades que enfrentei no passado e sabem que elas ainda não terminaram" (1.31). É um gostinho meio agridoce. O sofrimento não vai acabar agora, mas a alegria, a paz e a graça que reinam em nosso coração nos fazem superar isso tudo.

AM | O já e o ainda não. A tensão escatológica do cristão.

PW | Faz parte do nosso dia a dia...

AM | Exatamente!

Qual é o seu desejo?

Por Rodrigo Bibo

É realmente inspiradora a segurança que Paulo tem em Cristo. O que divide o coração do apóstolo é o morrer para estar com Cristo ou o viver morrendo em prol dos irmãos. O desejo dele é tomado pelo amor à igreja de Jesus. E, como já podemos perceber e ficará ainda mais claro nas próximas páginas, estamos falando de uma igreja imperfeita, cheia de problemas e pecados. São por esses que Paulo almeja gastar a sua vida até ser encontrado pelo Criador. Paulo sabe que o melhor é estar com Cristo (1.23), mas reconhece que o importante é estar com os irmãos em seu processo de amadurecimento (1.24-25).

Será que nossos desejos também se intercalam entre o estar com Cristo e o servir aos irmãos? Só deixando bem claro que o desejo de estar com Cristo aqui em Paulo não é bem o sentimento de fugir dos problemas e perrengues da vida. Meu amigo Ismael Sobrinho costuma chamar isso de "sentimento suicida crente", quando o crente, em meio a tantas dores e lutas, pede a morte. Não é o caso aqui. Paulo sabia que as lutas e provações eram parte do crescimento do cristão, como podemos ler em Romanos 5.3: "Também nos alegramos ao enfrentar dificuldades e provações, pois sabemos que contribuem para desenvolvermos perseverança". O sentimento de Paulo se parece mais com aquele desejo de finalmente reencontrar Jesus, de viver plenamente a eternidade ao lado daquele que o chamou.

O verbo *partir* em 1.23 tem um rico significado no grego, segundo comentou o teólogo Warren W. Wiersbe. Diz respeito ao ato do soldado de desmontar sua tenda para prosseguir viagem. Já os marinheiros empregavam esse termo para expressar o soltar as amarras da embarcação a fim de iniciar a navegação; e era também usado como termo burocrático para descrever a libertação de um prisioneiro. Esse último significado faz muito sentido à luz de tudo o que já escrevemos aqui.

Como bom imitador de Cristo, Paulo sabe que o caminho para Deus passa pelos pés dos irmãos (ver Jo 13.1-17). Por isso, ainda que seja melhor estar com Cristo, o mais importante é fortalecer a comunidade para que ela também tenha esse modo de vida. O fim disso tudo é o povo "lutando juntos pela fé que é proclamada nas boas-novas" (Fp 1.27).

No final do capítulo (1.27-30) Paulo usa muitos termos que remetem a combate, cenário de guerra: firmeza, luta, opositores, luta novamente, dificuldades e sofrimento. De fato, ser igreja local não é o mesmo que ser um clube social ou qualquer outro aglomerado: é uma jornada cheia de desafios e lutas no cumprimento da missão. Lembrando sempre que tudo isso é um grande privilégio: "Pois vocês receberam o privilégio não apenas de crer em Cristo, mas também de sofrer por ele" (1.29).

Capítulo 02

Rodrigo Bibo, Cacau Marques e Victor Fontana (BTCast 343).

RB | Como viver em unidade diante de tantas ideias e pensamentos individuais? O que significa ter a mesma atitude de Cristo? Paulo fala em trabalhar com afinco a salvação, o que isso quer dizer? Vamos tentar responder a essas perguntas neste episódio.

CAMINHANDO NO AMOR E NO TRABALHO

"Há alguma motivação por estar em Cristo? Há alguma consolação que vem do amor? Há alguma comunhão no Espírito? Há alguma compaixão e afeição?" (2.1-2). Eu gostaria que vocês nos ajudassem a pensar nessas quatro perguntas feitas por Paulo no início desse capítulo. Pressupõe-se uma resposta positiva para essas perguntas retóricas que Paulo faz. Ele possui um sentimento e quer lutar para que os filipenses permaneçam juntos. Se a resposta para essas perguntas é "sim", como podemos desenvolver o entendimento em torno dessas questões?

VF | O que encontramos aqui na comunidade de Filipos é uma comunidade altamente elogiável e elogiada por Paulo. Não observamos na carta traços de contendas, como se percebe em Corinto, por exemplo, ou um desrespeito pela figura de Paulo, como em Gálatas. A comunidade de Filipos é uma comunidade que tem grande unidade entre si e que nutre grande carinho por Paulo. Tudo isso não vem sem dificuldades. Quando olhamos e analisamos a cidade, ela era extremamente diversa em sua formação, nas etnias que estavam presentes ali.

RB | Tem um comentário na *Bíblia de Estudo NVT* que diz assim: "Filipos ficava na Via Egnácia, importante rota comercial romana que atravessava a Macedônia" [p. 1940]. Sendo assim, pelo fato de ser uma rota comercial, subentende-se que havia uma diversidade na cultura.

VF | Essa informação é muito relevante, principalmente quando se conhece a geografia do local. Ela é uma importante rota romana, na Macedônia. Isso significa que o império imediatamente anterior ao Império Romano foi o Império Macedônico, de Alexandre, o Grande. Existem tensões e rivalidades entre romanos e gregos até o tempo de Jesus Cristo, de Paulo, até o primeiro século. Paulo sabe, por experiência própria, que essas tensões e rivalidades podem permear a igreja. Paulo "vitamina" um senso de amor mútuo que já está presente, um senso de generosidade que já existe naquela comunidade.

Assim, ele nutre essa comunidade com aquilo que traz uma identidade comunitária à parte das identidades étnicas e culturais naquela região. "Há alguma motivação por estar em Cristo?" Estar em Cristo, aqui, é trazer à tona a identidade escatológica dessa comunidade, é trazer à tona o verdadeiro motivo pelo qual eles são um.

Por que eles têm unanimidade no evangelho? Porque eles estão no Messias, estão debaixo, não apenas da autoridade, mas também da confissão, da proteção e do amor do próprio Cristo, permitindo assim que aconteça esse milagre do surgimento de uma família de genéticas totalmente distintas. Então, Paulo traz à tona o estar em Cristo. "Há alguma consolação que vem do amor?" Vocês conhecem uns aos outros, vocês são diariamente consolados uns pelos outros, não porque vocês são pais, filhos, irmãos uns dos outros, mas, porque vocês estão em Cristo, vocês se consolam, se amam.

"Há alguma comunhão no Espírito?" Vocês não comungam porque vocês são da mesma classe social, porque frequentam os mesmos lugares, mas sim porque estão no mesmo Espírito. "Há alguma compaixão e afeição?" Ora, vocês não experimentam isso, semana após semana, quando em seu meio aparecem pessoas que têm necessidades financeiras? Assim como eu tive e vocês me ajudaram? Então há compaixão e afeição, de forma que essas perguntas são respondidas pelo próprio testemunho da igreja que Paulo elogia na carta.

CONCORDANDO SINCERAMENTE UNS COM OS OUTROS

RB | Isso é muito interessante, porque na sequência é dito: "Então completem minha alegria concordando sinceramente uns com os outros" (2.2a). O que seria "concordando sinceramente uns com os outros"?

Naquela época, também existiam diversidades de pensamentos. Colocamos muitos defeitos na igreja de hoje, e realmente a igreja pode ter uma série de defeitos, mas a igreja do primeiro século também não era perfeita. A igreja primitiva também tinha uma série de problemas, não é à toa que nós temos as cartas. Como falamos no primeiro episódio, Paulo está lidando com problemas de igrejas locais. Se não houvesse problemas, provavelmente não teríamos as cartas.

Então Paulo está fazendo uma manutenção, está "vitaminando" a comunidade, usando a expressão do Victor Fontana. Continuando aqui no texto: "concordando sinceramente uns com os outros, amando-se mutuamente...". Há uma questão importante, tem que haver uma simbiose. Vocês precisam concordar sinceramente uns com os outros, mesmo que haja possíveis discordâncias étnicas, políticas, etc., para que aconteça o que diz mais à frente o texto: "... e trabalhando juntos com a mesma forma de pensar e um só propósito" (2.2b).

Será que o fato de termos um propósito — estou tentando ler o texto de trás para a frente —, um propósito que é produzido pelo fruto de justiça, deveria nos fazer estar mais juntos? Amar mais uns aos outros? Ter uma mesma forma de pensar? Estar em concordância? Como podemos perceber isso?

Nesse ponto, já precisamos ter superado as ilusões sobre a utopia da igreja primitiva, de que ela era perfeita, sem nenhum tipo de rusga, nenhum tipo de disputas. Já havia, antes disso, resoluções de conflitos existentes, como desentendimentos, discordâncias, entre outros. Quando olhamos para Atos dos Apóstolos, observamos algumas situações conflituosas da igreja que foram resolvidas por concordância. Por exemplo, a disputa entre as viúvas dos gregos e dos judeus que foi resolvida com a escolha dos diáconos (At 6.1-7). Outro exemplo que observamos são as disputas relatadas no Concílio de Jerusalém (At 15). Vemos que a resolução dessas situações gera uma concordância sincera, não foi uma imposição que calou as pessoas forçadamente. Essa caminhada do diálogo, de firmar uma concordância, deve ser buscada, porque não adianta fugir disso. Nós somos igreja, templo do Espírito Santo, mas somos feitos de carne, com todas as fraquezas e tentações do pecado que nos levam a dividir.

Tudo isso também é muito presente no clamor que o próprio apóstolo Paulo faz à igreja de Corinto, em 1Coríntios 3. Sem querer misturar muitas coisas, mas se analisarmos ali ele vai dizer: "Olha, se vocês forem espirituais, vai haver mais unidade, porque a evidência de que vocês não estão vivendo pelo Espírito é que há disputas entre vocês". Paulo tem essa convicção de que há uma forma espiritual

CM

de encarar as disputas, os problemas, as fissuras da comunhão, as controvérsias, para poder caminhar em unidade. Acredito, sim, que envolve a questão de propósito também, mas acho que isso fica mais claro lá na frente, quando Paulo manda que seja lembrado às duas mulheres que brigaram, Evódia e Síntique (4.2-3), o fato de que ambas contribuíram para o avanço do evangelho.

Acredito que isso é muito importante na igreja. A igreja que não milita pela causa do evangelho vai militar pela posição do vaso de flor no templo. Sendo assim, ou você luta pela coisa certa, ou vai lutar com quem era para ser o seu companheiro.

RB | A igreja às vezes gasta muito tempo decidindo a textura da toalha, a cor e o tipo da bacia que vai se utilizar, mas os pés continuam sujos. Tudo isso é um desafio enorme para nós, porque, como diz Paulo: "Não sejam egoístas..." (2.3). Sobre essa questão do egoísmo, falamos muito que vivemos em uma sociedade egocêntrica, centrada no eu. Pois bem, meu amigo, a Bíblia já milita contra o egocentrismo, contra a ambição egoísta. "Não sejam egoístas, nem tentem impressionar ninguém. Sejam humildes e considerem os outros mais importantes que vocês" (2.3).

SEJA O "PATETA"

Atenção ao que Paulo está dizendo aqui: sejam humildes. Em seguida, vem o grande desafio:

"considerem os outros mais importantes que vocês". Essa postura de humildade, essa postura de considerar o outro mais importante, é fundamental para que a gente consiga viver nessa comunhão, viver nessa concordância. A igreja precisa estar nesse espírito, porque se só um ou dois estão nessa unidade, eles se tornam os "patetas da turma".

VF

Se for para você ser o único "pateta da turma", então seja! Tope o fardo! É melhor você topar o fardo e manter sua integridade, do que se deixar comprometer pelo resto. Entretanto, o Bibo tem razão: a igreja sofre muito quando ela mesma se perde em seus próprios projetos de vanglória, porque eles nunca são da igreja, o projeto de vanglória sempre é de indivíduos. Tudo isso vai invariavelmente gerar disputas, e logo são criadas facções em torno dessas disputas.

Às vezes, esses projetos nem são das pessoas que levam o nome da disputa. O Cacau mencionou 1Coríntios 3, e realmente, quando pensamos nesse tipo de contenda, é inevitável não pensar naquela situação, em que uns eram de Paulo, outros eram de Apolo. Paulo e Apolo não tinham nada a ver com essa história, mas o que acontece ali? Existiam disputas internas de gente que se achava muito importante, gente que buscava impressionar os outros. Tudo isso vai gerar o crescimento de facções em torno desses projetos babélicos. E, quando se tem Babel, há um problema sério, não apenas de comportamento individual, mas também o problema de minar o esforço evangelístico, porque todo esforço evangelístico — e aqui vai um alerta: se você quiser gravar uma coisa desta conversa, grave isso —, todo esforço evangelístico é um esforço de fazer o nome de Jesus Cristo famoso, fazer reconhecido o Nome sobre todo o nome. A partir do momento que, nesse processo, eu quero fazer o meu nome famoso, automaticamente coloco uma bomba para demolir tudo, faço uma implosão do projeto inteiro. Babel sempre termina com o prédio inacabado, sempre! Tudo isso é um conjunto de bananas de dinamite para implodir a edificação da evangelização.

Evangelização é fazer o nome de Jesus Cristo famoso. Quando você quer fazer o seu nome famoso, você vai criar contendas, disputas, e assim por diante. Então, mesmo que esteja em um ambiente em que você é o "pateta", em que você é o único que não está assumindo um projeto de poder, seja o "pateta"! Porque você é o único que não vai colocar banana de dinamite para implodir a evangelização da igreja.

RB | Essa é a ideia da vanglória, de tentar impressionar alguém, de fazer projetos para impressionar alguém. Tudo isso pode ser visto por trás dos projetos babilônicos. Diante disso, observamos que existe a ideia de fazer um nome para si, o que se torna muito perigoso.

Muitos desses projetos humanos com o objetivo de impressionar os outros até podem dar certo no sentido de realmente abençoar muitas pessoas, e até mesmo de essas pessoas terem um encontro real com Jesus. Pode acontecer. Mesmo que as motivações da pessoa sejam erradas, a pregação delas está certa, digamos assim (1.15-17).

Essa situação é bem perigosa, porque às vezes o projeto demora para ser implodido. A pessoa pode correr aquele risco de que nos alerta Mateus 7.21-23, de chegar diante do Senhor e falar: "Em teu nome eu fiz projetos maravilhosos, muitas pessoas se renderam a ti, expulsei demônios, etc.", e, nessa situação, Jesus olhar para a pessoa e dizer: "Cara, no fundo eu não o conheço, porque o que você fez era um projeto vão, era uma vanglória, a glória não era para mim, era uma glória vã, passageira, no fundo você estava tentando impressionar alguma pessoa, você estava tentando impressionar os outros".

VF

Na matemática da coisa, Deus pode usar essas situações para abençoar, Deus usa o que ele quiser. O problema é quando esses projetos pessoais de poder começam a dar muito certo e se tornam ministérios muito eficientes. Diante disso, pensamos: "Está dando certo, está crescendo". Meu convite a você em relação a isso é ir observar de dentro, participar das reuniões de liderança, escutar o que está sendo dito, como está sendo dito. Depois, observar quem participou desses processos e quantas feridas foram produzidas. Mesmo diante disso, Deus pode usar, porque ele usa o que bem entender, mas quando se vê o tamanho das feridas, não é por acaso...

Bibo, você já vivenciou isso, eu já vivenciei isso, Cacau vivenciou isso também. Conhecemos testemunhos de pessoas que passaram por coisas parecidas, e não é à toa que, em algum momento da história, quando esses projetos desmoronam, o trauma é algo descomunal. Parece que, quanto maior a construção, quanto mais tempo se gastou colocando tijolos nessa construção, na hora que demole, mais gente soterrada fica, mais poeira levanta. Isso é algo para o qual a gente realmente tem de prestar muita atenção.

Eu falo: "Seja o pateta, seja o pateta!". Você vai se machucar mais sendo o pateta, mas no final menos gente vai se machucar.

TENHAM A ATITUDE DE CRISTO

RB | O desafio aumenta quando Paulo escreve: "Não procurem apenas os próprios interesses, mas preocupem-se também com os interesses alheios" (2.4). Pensar em si, ok, pensar em sua subsistência, em sua sobrevivência, beleza. Mas, se você se preocupa só com os seus interesses, então por que disse "sim" para as perguntas que foram feitas na abertura do capítulo?

O texto vai nos cercando, e aí Paulo continua: "Tenham a mesma atitude demonstrada por Cristo Jesus" (2.5). Algumas traduções usam o "mesmo pensamento", mas eu acho muito bacana que a NVT use "atitude", porque o termo *phroneō* indica que não é apenas um pensamento. Na mentalidade de Paulo, *phroneō* está muito ligado ao pensar e ter atitude, que são coisas inseparáveis. Então a NVT nos ajuda traduzindo como "atitude". Pensando no leitor médio da Bíblia, aquele que talvez não possua muitos recursos, ajuda bastante essa maneira em que o termo foi colocado.

Aqui, é como se Paulo estivesse dizendo: "Isso tudo que estou falando para vocês, sobre o qual estou levando vocês a refletirem, a gente vê em Cristo Jesus, então tenham a mesma atitude que Jesus Cristo teve".

Eu acho uma escolha extremamente feliz da NVT, | VF
sobretudo se pensarmos no campo semântico que a palavra "atitude" adquiriu nas últimas décadas. Toda tradução é uma tradução *para*, não é somente uma tradução *de*. Em nosso caso, por exemplo, é uma tradução *do* grego *para* o português, e esse português corrente, o nosso idioma atual. Quanto mais nosso for esse português que estiver presente na tradução, melhor. É difícil equilibrar as coisas, mas quanto mais em nossa língua estiver, melhor.

Nos últimos trinta, quarenta anos, principalmente com o advento da cultura *pop* e do *rock*, a palavra "atitude" ganhou um campo semântico que ela não tinha. Podemos pensar nela simplesmente como ação, mas essa palavra ganhou em nosso português, talvez como resultado de uma espécie de anglicismo, uma dimensão holística de que faz parte de um estilo de vida. É muito feliz a escolha da palavra "atitude". Além disso, "atitude" capta muito bem o que quer dizer o grego.

Em outras traduções, isso já foi traduzido para o português como sentimento, em vez de pensamento, sendo que "atitude" capta melhor essa sinergia entre o que é internalizar algo e o que é objetivar e depois externalizar. É essa ideia de ter algo que faz parte de um estilo de vida, que começa no pensamento mas que é externalizado por meio das ações. Existe a "atitude *rock*", a "atitude *punk*", e aqui se fala da "atitude de Cristo".

CM | É muito interessante a escolha dessa tradução, porque demonstra como as escolhas de uma tradução são amplas. Essa mesma palavra grega já apareceu duas vezes nesse trecho, no versículo 2, "concordando" e "forma de pensar". É um termo que também fala de postura, de pensamento, de decisão, de julgamento, um pensamento que julga, que discerne. Mas o contexto do uso dela em 2.5 diz respeito a atitude porque tem uma ligação direta com a ação.

Como é que você sabe das motivações de Cristo? Como é que sabe o que se passa na cabeça de Cristo? Pelo que ele fez. Paulo vai contar a história sobre o que Cristo fez. Então tenham a mesma atitude, essa atitude revelada na ação de Cristo. E isso leva a pensar que a atitude de concordância de que ele fala em 2.2 só pode ocorrer na união uns com os outros, se estamos unidos à atitude que é de Cristo, e não se fazemos prevalecer uma das nossas atitudes contra a do outro, um dos nossos discernimentos contra os discernimentos do outro. Isso é uma coisa bem típica da comunhão segundo a teologia de Paulo: a comunhão é essa dádiva de Deus em Cristo, essa manifestação do corpo de Cristo na igreja, corpo que é unido não porque o braço está ligado ao tronco, mas porque tudo está ligado à cabeça. É ele que dá a unidade de todas as coisas.

Portanto, se quisermos cumprir o que está sendo dito em 2.2, a questão de pensarmos da mesma maneira, de agirmos com o mesmo propósito, é preciso deixar que Cristo seja aquele que manifesta essa atitude em nós, em vez de fazermos prevalecer a nossa visão de igreja, de ministério, do mundo.

A ESSÊNCIA DA CARTA

Chegamos ao hino cristológico, que é o centro da carta e, talvez, o centro da fé cristã do primeiro século. "Embora sendo Deus, não considerou que ser igual a Deus fosse algo a que devesse se apegar. Em vez disso, esvaziou a si mesmo; assumiu a posição de escravo e nasceu como ser humano. Quando veio em forma humana, humilhou-se e foi obediente até a morte, e morte de cruz. Por isso, Deus o elevou ao lugar de mais alta honra e lhe deu o nome que está acima de todos os nomes, para que, ao nome de Jesus, todo joelho se dobre, nos céus, na terra e debaixo da terra, e toda língua declare que Jesus Cristo é Senhor, para a glória de

VF

Deus, o Pai" (2.6-11). Isso aqui é um resumo da teologia do Novo Testamento. É tão importante que tem um *podcast* só sobre isso no Bibotalk.

RB | É verdade, é o BTCast 182, mais de uma hora e meia falando sobre o conceito de *kenosis*, termo grego que é utilizado em 2.7 e que foi traduzido aqui como "esvaziou-se". Temos um BTCast detalhando versículo por versículo do hino cristológico, ficou bem bacana.

VF | Paulo está utilizando aqui uma canção que as pessoas já conheciam, uma canção que rememorava a teologia cristã, numa época em ainda não se tinha o Novo Testamento escrito. Ele utiliza uma das primeiras expressões de adoração dos cristãos e usa essa canção para fundamentar toda a discussão da carta.

Observando bem a canção, percebe-se que ela fala sobre a encarnação, o advento, o desenvolvimento da vida de Jesus, que veio em forma humana, nasceu como ser humano, se humilhou, foi obediente, o ministério de Jesus, a crucificação, a morte, a ressurreição e a escatologia. Temos todo o Novo Testamento comprimido em uma música, uma canção, um poema que abrange tudo a respeito de Jesus, da encarnação até a escatologia, do advento até a *parousia*, a volta de Jesus.

Diante disso, vemos o segundo escravo aparecendo aqui. Vemos Paulo aplicando essa canção no começo da carta, quando ele diz que é escravo de Cristo Jesus, e isso que ele estava fazendo era a mesma atitude que Jesus teve quando nasceu em forma humana e assumiu a posição de escravo.

Paulo sabia escrever, hein? Genial! | RB

A montanha e o vale; ou kenosis

Por Willian Erthal

O animal escolhido era completamente adornado. Os chifres eram entrelaçados com fitas, os pelos longos eram trançados, o dorso era coberto com os mais nobres e coloridos tecidos. Todos têm a esperança de que o animal se locomova complacentemente regido pela procissão, já como sinal de bom presságio. Uma adolescente virgem vai à frente do animal, carregando na cabeça a cesta sacrifical com o punhal escondido entre bolos e grãos de cevada. Escravos ladeiam carregando talhas de água e de vinho; o clérigo, carregando um incensário aceso, vai logo atrás do animal. Mais atrás, músicos com instrumentos de percussão primitivos entre clérigos de segunda ordem encerram o pomposo desfile.

O objetivo da procissão é escoltar o animal até o local de culto mais sagrado: o alto da montanha, a morada dos deuses. Assim que a procissão chega ao sagrado platô da montanha, avista-se o círculo que delimita o local do sacrifício. O animal é conduzido ao centro. Um dos clérigos de segunda ordem toma água de uma talha e conduz até o clérigo principal para a lavagem de suas mãos. Em seguida, o clérigo asperge água na cabeça do animal, que a sacode gentilmente sem se rebelar com força bruta contra seu breve destino. Novamente, bom é o presságio de que a divindade se inclina ao aceite da oferenda.

Após um brusco sinal, escravos tomam a adolescente que antes encabeçava a procissão e a esganam até a morte. Seu corpo é colocado ao lado do animal. Com um punhal, o clérigo se dirige até o animal e o sacrifica. Os clérigos de segunda ordem acompanham para o esfolamento. O vinho é derramado no solo em volta do altar. Por último, lenha e fogo são adicionados ao círculo, até que tudo vire cinzas.

O tatear da religiosidade humana sempre levou seus olhos para o alto dos montes. Lá os homens construíram locais de culto às divindades que criaram à sua imagem e semelhança. Votivos, altares, piras, estatuetas, utensílios, máscaras ritualísticas ficavam a íngremes quilômetros do assentamento da comunidade. Era lá que os sacrifícios aplacariam a fúria dos deuses, ou, na melhor das hipóteses, ganhariam a sua simpatia.

Apesar de a narrativa ficcional acima descrita ser feita com elementos creto-micênicos, a religiosidade de Israel por vezes também fez com que os adoradores lançassem seus olhos para as montanhas. Foi ao monte Moriá que Abraão levou seu filho para ser sacrificado ao Senhor. Foi ao monte Sinai que Moisés subiu para fazer aliança com Deus. Aqui, porém, começa a distinção entre a religião bíblica e o paganismo: Deus desce!

"Instrua os israelitas a construírem para mim um santuário, para que eu viva no meio deles", disse Deus por intermédio de Moisés (Êx 25.8).

Na religiosidade bíblica não é o homem quem sobe para sacrificar, mas é Deus quem desce. O santuário era móvel, acompanhava o povo. Não era no alto do monte, mas no meio do povo. Não era no alto do monte, mas no vale.

Evidentemente, o santuário era figura e sombra da realidade, daquilo que se concretizou em Cristo Jesus. A esse respeito, profetizou Isaías: "Por isso, o Senhor mesmo lhes dará um sinal. Vejam! A virgem ficará grávida! Ela dará à luz um filho e o chamará de Emanuel" (Is 7.14).

Deus conosco. Em Cristo Jesus, Deus desce para habitar plenamente entre o povo. Como disse João no primeiro capítulo de sua primeira carta, o que era desde o princípio foi visto, ouvido, tocado (1Jo 1.1).

Talvez seja por isso que alguns digam que o cristianismo é a antirreligião, obviamente se tomarmos religião no sentido da fenomenologia social ao longo dos milênios. Nesse contexto histórico-social, religião sempre foi a crença em uma realidade transcendente a qual o homem pode manipular para que invada de alguma forma a imanência em seu favor; não de graça, mas movido por rituais, sacrifícios, obras, ou qualquer outro artifício realizado pelas pessoas nos tempos e lugares corretos.

Nisso o cristianismo é diametralmente oposto, realidade que se escancara no conceito de *kenosis* presente no hino cristológico citado por Paulo em sua carta à igreja de Filipos. "Tenham a mesma atitude demonstrada por Cristo Jesus. Embora sendo Deus, não considerou que ser igual a Deus fosse algo a que devesse se apegar. Em vez disso, esvaziou a si mesmo; assumiu a posição de escravo e nasceu como ser humano. Quando veio em forma humana, humilhou-se e foi obediente até a morte, e morte de cruz" (2.5-8).

Perceba a oposição: o Cristo é Deus, Criador e Senhor de todas as coisas, mas se esvazia, se priva da forma de Deus, e toma a forma de homem, porém não qualquer tipo de homem, mas de servo, humilhado, obediente e, por fim, morto.

Na ritualística pagã, o homem sobe à montanha para servir aos deuses e oferecer sacrifício. Na realidade bíblica, a divindade desce ao vale para servir aos homens e oferecer a si próprio como sacrifício.

Nessa tensão entre montanha e vale, divindade e humanidade, sacrificar e ser sacrificado, é que se aperfeiçoa o paradoxo de um Deus que se faz servo, mas que é exaltado à mais alta posição, que está acima de todo nome, que dobra todo joelho, e que é confessado por toda língua como Senhor para a glória de Deus Pai (2.9-11).

SANTIFICAÇÃO

RB | Então vem o versículo 12, que nos traz mais desafios e nos encoraja, porque é como se Paulo estivesse dizendo: "Galera, eu acabei de falar para vocês: 'Não sejam egoístas, nem tentem impressionar ninguém' (2.3). Então, quando eu estava aí, talvez vocês quisessem ficar me impressionando, orando, jejuando, levantando as mãos na hora do louvor, mas, agora que eu não estou, é mais importante que vocês façam o seguinte: 'Trabalhem com afinco a sua salvação, obedecendo a Deus com reverência e temor. Pois Deus está agindo em vocês, dando-lhes o desejo e o poder de realizarem aquilo que é do agrado dele' (2.12-13)".

VF | A ideia nesse texto é o que você faz a partir da salvação que você já tem. Aquilo que Deus já conquistou para você na cruz, a sua salvação, a partir desse momento, o que que você faz com ela? Você coloca a salvação para trabalhar.

Ou seja, produzir o fruto da justiça, sobre o qual lemos lá em 1.11. | RB

Exatamente. Mais uma vez eu acho que a NVT acerta na tradução, porque a meu ver a palavra "trabalho" aqui é melhor do que a palavra "desenvolvimento". Tradicionalmente esse texto é conhecido como o texto do "desenvolver a salvação", sendo que, no grego original, a palavra "trabalho" dá uma melhor dimensão para entendermos o que vem na sequência: "*Façam* tudo sem queixas nem discussões, de modo que ninguém possa acusá-los. *Levem* uma vida pura e inculpável como filhos de Deus, brilhando como luzes resplandecentes num mundo cheio de gente corrompida e perversa" (2.14-15). A maneira como a NVT complementa a ideia de mundo, "cosmo", aqui é excelente, porque não se trata de um universo belo, mas de uma escuridão densa, terrível e aterrorizante. Os crentes no meio dessa escuridão, e dessa vastidão do universo, brilham como as estrelas, que são aquilo que dá beleza para o ambiente, e que sem elas seria puro terror. | VF

Eu leio esse texto, e penso na minha vida primeiramente, penso no cenário da igreja evangélica brasileira, e vejo que realmente precisamos voltar para as Escrituras. | RB

CM | Já vou citar o Martin Luther King de novo, que acho que tinha essa carta como uma das preferidas, porque no mesmo sermão que eu citei no episódio anterior ele diz: "Eu sei, de alguma forma, que quando a noite está escura o suficiente, é que as estrelas brilham mais forte".

RB | Perfeito, casa muito bem com o que a gente está falando, e essa responsabilidade é patente, é o "trabalhem", o "façam". Somos chamados para uma vida de ação. A nossa salvação não é uma coisa estática. Conectamos isso ao que Jesus fala no Sermão do Monte, em Mateus 5: "Vocês são a luz do mundo. É impossível esconder uma cidade construída no alto de um monte" (Mt 5.14).

É um desafio! O C.S. Lewis já disse: "Se você procura uma religião confortável, definitivamente essa religião não é o cristianismo".

VALEU A PENA

E a ideia da iminência da volta de Cristo é muito presente nas cartas de Paulo: "Apeguem-se firmemente à mensagem da vida. Então, no dia em que Cristo voltar, me orgulharei de saber que não participei da corrida em vão e que não trabalhei inutilmente. Contudo, me alegrarei mesmo se perder a vida, entregando-a a Deus como oferta derramada, da mesma forma que o serviço fiel de vocês é uma oferta a Deus. E quero que todos vocês participem dessa alegria. Sim, alegrem-se, e eu me alegrarei com vocês" (2.16-18).

Olha o cara aí, na prisão, no buraco, escrevendo coisas maravilhosas. (A gente vai falar sobre a alegria, obviamente, no capítulo 4, vai ser inevitável.)

Esse negócio toca meu coração, esse capítulo é um negócio de louco! Toca meu coração ver Paulo dizendo que no dia do Senhor ele vai ver que não participou da corrida em vão, que não trabalhou inutilmente. Dois mil anos depois, a gente está lendo esse texto. Paulo não trabalhou inutilmente. | VF

Imaginem comigo, Paulo sentado numa arquibancada, e a gente passando na pista, e Jesus fala: "Paulo, está vendo aquelas pessoas? Elas leram o texto que você escreveu. Você me imitou direitinho, você teve a mesma atitude que eu tive". | RB.

Nada foi em vão, Paulo. Essa carta é incrível, esse capítulo é incrível! | VF

Capítulo 03

Rodrigo Bibo, Cacau Marques, Victor Fontana e Alexandre Miglioranza (BTCast 344).

PERSEGUIDOS

Segundo a divisão da *Bíblia de Estudo NVT*, o capítulo 3 dá início a uma quinta seção do livro, que contém advertências acerca de adversários e perigos e vai desde o capítulo 3 até o versículo 9 do capítulo 4. É interessante que a alegria esteja presente, apesar de Paulo falar dessas advertências e perigos que rondam os filipenses. Essa questão da perseguição que eles sofreram foi algo de que não falamos muito nos capítulos anteriores. Salientamos bastante a questão de Filipos ser uma pequena Roma, mas não abordamos a opressão que os próprios cidadãos enfrentavam por não adorarem mais a César, já que, agora, eles tinham outro Senhor. Os cristãos de Filipos sofriam uma espécie de perseguição, o que se ajusta também com o tema da carta. | RB

Em geral, os filipenses possuíam um *background* de antes e depois de se tornarem uma colônia romana, e é natural que tenham reajustado a vida em função dessa mudança de *status* pela qual a cidade passou. | AM

A partir disso, Paulo diz que o único alvo na vida dos filipenses cristãos é Cristo, sua morte e ressurreição. Tanto que, mais tarde, ele mesmo reforça que a pátria deles está nos céus. Podemos resumir a fala do apóstolo assim: "Galera, legal, mudamos aqui o *status* da cidade e tudo mais, só que é o seguinte: o nosso objetivo é Cristo em sua morte e em sua ressurreição". Em seguida, ele passa a falar do verdadeiro culto, daí a questão do cuidado com os cães, a judaização e tudo mais.

CRISTO ACIMA DA CULTURA

RB | O que Paulo diz é: "Por fim, meus irmãos, alegrem-se no Senhor. Nunca me canso de dizer-lhes estas coisas, e o faço para protegê-los. Cuidado com os cães, aqueles que praticam o mal, os mutiladores que exigem a circuncisão" (3.1-2). Em relação a esse trecho, segundo uma nota da *Bíblia de Estudo NVT*, Paulo faz aqui uma inversão. Eram os judeus que chamavam os gentios de cães, já que o cachorro é um animal impuro dentro da cultura judaica. Então, quando Paulo usa a expressão "cuidado com os cães", ele utiliza um xingamento dos próprios judeus contra os judaizantes, aquelas pessoas que queriam colocar práticas judaicas para a salvação. Isso é muito comum no ministério de Paulo. Existiam pessoas que, de alguma forma, aceitavam certos aspectos do que ele dizia, mas não abriam mão da circuncisão, por exemplo, que é o símbolo da aliança do Antigo Testamento.

Mais do que práticas judaicas para salvação, o que está implícito é: "Você só fará parte do corpo de Cristo caso se torne judeu". Por outro lado, Paulo pontua que Jesus convida gente de qualquer língua, tribo, povo e nação para integrar essa nova família. Então, não se pode exigir circuncisão de gentios, porque eles entram como gentios. Não se exige que um judeu deixe de ser judeu, da mesma maneira que não se exige que um gentio deixe de ser gentio para fazer parte da família de Cristo. | VF

Exato. Por quê? Porque ser cristão e o evangelho estão acima da cultura. Como você bem disse, Victor, o judeu entra no evangelho como judeu, o gentio entra como gentio, o romano entra como romano, o grego entra como grego. | AM

Se caminharmos a partir do versículo 2, vamos perceber que há um certo orgulho em ser judeu, reforçado pela própria descrição que Paulo faz de si mesmo. Esse sentimento está presente até mesmo entre aqueles que já tinham reconhecido Jesus como Messias e Salvador. | RB

Seguindo a linha do James D. G. Dunn, tudo o que Paulo fala em 3.5 diz respeito a elementos religiosos e culturais. "Fui circuncidado, sou israelita de nascimento, verdadeiro hebreu..." Isso são as obras da lei, ou seja, eu tenho esse relacionamento com Deus não por causa de Cristo, mas porque eu tenho tal e tal costume. O apóstolo | AM diz justamente o contrário: "Gente, vocês estão querendo se orgulhar de cultura ou querendo adquirir costumes e hábitos de outro povo para dizer que pertencem a Cristo? Não, vejam o meu caso: 'Fui circuncidado com oito dias de vida. Sou israelita de nascimento, da tribo de Benjamim, um verdadeiro hebreu. Era membro dos fariseus, extremamente obediente à lei judaica. Era tão zeloso que eu persegui a igreja. E, quanto à justiça, cumpria a lei com todo rigor'" (3.5-6). E ele diz que considera isso como "refugo", que é como traz o grego. Para ele, isso não tem mais importância, é "insignificante", como traduziu a NVT, porque o evangelho superou o elemento cultural. "Eu não pertenço a Jesus porque falo determinada língua ou porque tenho determinada tradição. Não! Cristo está acima disso."

VF | Aí nós temos de prestar atenção em quem é a audiência de Paulo nesse momento. Alguém pode imaginar que ele está batendo no orgulho de ser judeu, mas não é só esse o caso. O apóstolo ataca também o valor de ser grego ou romano, ou seja, os filipenses, que eram majoritariamente gentios, não deveriam se orgulhar dessas coisas terrenas, como faziam os judeus. É mais ou menos assim: "Vocês moram numa baita cidade, rota comercial, rica, espetacular. A herança que carregam é a de Alexandre, o Grande: helenística, filosófica, fantástica. Além disso, ainda são romanos. Caramba, que belo povo! Vejam só: eu sou judeu e poderia me orgulhar disso também. Fui circuncidado com oito dias de vida, sou israelita de nascimento, da tribo de Benjamim, um verdadeiro hebreu, fui membro dos fariseus, obediente à lei judaica. Tão zeloso — e aí vem a ironia — tão zeloso que perseguia a igreja e cumpria a lei com todo o rigor. Pensava que essas coisas eram valiosas, mas, agora, considero todas elas insignificantes por causa de Cristo".

Aparece outro ponto aqui. Não só o judaísmo, mas todas as outras coisas são insignificantes quando comparadas ao ganho inestimável de conhecer Cristo Jesus. A capacidade intelectual, cultural ou filosófica e helenística é insignificante perto da herança de Cristo Jesus. O *status* como cidadão romano é insignificante perto do que é estar em Cristo. A identidade étnica como judeu é insignificante perto do estar em Cristo. Precisamos tomar muito cuidado: facilmente lemos esse trecho com óculos antissemitas, e não é isso que ele está dizendo.

É anticultura nesse sentido, de que a cultura não nos aproxima de Deus. | AM

A superioridade étnica, certo? | RB

Exato. Superioridade étnica ou cultural não nos aproxima de Deus porque, desde Abraão, ele aceita todos os povos. | AM

RB | Dentro de tudo o que conversamos, podemos notar a existência dessa superioridade étnica, esse orgulho de ser judeu muitas vezes, mas havia também a superioridade de ser romano. É incrível como Paulo pega uma coisa tão cara para seus leitores e para si próprio e transforma em algo sem sentido, porque o que ele quer mesmo é ser encontrado em Cristo. O apóstolo perde a identidade a fim de poder ganhar Jesus e ser encontrado nele. Aqui, tem a questão da autojustificação. Eu não conto mais com a minha própria justiça, que vem da obediência à lei, mas, sim, com a que vem pela fé em Cristo, pois por meio dela Deus nos declara justos: "Quero conhecer a Cristo e experimentar o grande poder que o ressuscitou. Quero sofrer com ele participando de sua morte, para, de alguma forma, alcançar a ressurreição dos mortos!" (3.10-11).

VF | Se, antes, eu tinha minha identificação no lugar onde nasci, na etnia de meus pais, na cultura em que fui ensinado, agora essa visão muda. É como se Paulo estivesse dizendo: "A minha identidade está em sofrer com Cristo e em participar de sua morte. A minha identificação está em conhecê-lo cada dia mais e entender o poder de quem o ressuscitou. A partir disso, deixo de buscar o meu eu nas coisas que me foram ensinadas e passo a ir atrás de quem eu sou na própria cruz. O amor sacrificial de Jesus substitui a identidade étnica por uma identidade com o amor sacrificial de Cristo, com o estar em

Cristo, com a invasão escatológica que Cristo traz para o nosso já".

A minha alegria não está em quem eu sou, de onde eu vim, na minha identidade, na minha certidão de nascimento, na minha religião. A minha alegria é estar em Cristo e em ser achado nele. | RB

É isso que Paulo chama de "minha própria justiça" (3.9). Vale voltarmos para algo que já repetimos bastante: antes de ser um termo jurídico, justiça é um termo relacional. Por isso, uma vez que o cristão tem o seu relacionamento com Deus restaurado por Cristo, ele é considerado justo pela justiça que vem de Deus. Isto é, a iniciativa de restaurar o relacionamento com a humanidade partiu de Deus, e não do ser humano. Essa justiça opera com base na fé em Cristo. Entretanto, fé, no sentido bíblico, não é apenas o fato de crer em alguma coisa, mas é a atitude de permanecer firme em uma posição em qualquer circunstância. Nesse caso, Paulo apresenta a fé como a firme permanência nos ensinos e na obra de Cristo, em vez da herança sociorreligiosa, como exposto acima. Paulo sabe do que fala, pois ele estava preso quando escreveu isso. Estava preso por causa do evangelho, e mesmo assim permanecia firme nos ensinos e na relação com Cristo. Devido à sua firmeza em Cristo, Paulo afirma que todos aqueles que desenvolvem um relacionamento com Cristo desejam conhecer a Cristo cada vez mais intensamente em todos os aspectos. | AM

O conhecimento de Cristo vai além do conhecimento puramente intelectual. Ainda que esse conhecimento seja primordial, o que o cristão deseja é estar plenamente envolvido com e em Cristo. O conhecimento intelectual que alimenta nossa mente com a informação sobre a restauração do nosso relacionamento com Deus pela fé em Cristo torna-se um conhecimento experiencial, como Paulo descreve em 3.10. É a participação nos sofrimentos e na morte de Cristo.

Assim, podemos afirmar que a fé em Cristo não é um sistema de crenças ou de dogmas inventados pelo ser humano. Essa distinção é importante, pois podemos ter a certeza de que a fé cristã não é um produto humano, mas é o resultado da vontade de Deus em restaurar nossa relação com ele. Por isso Paulo se gloria em Cristo. Por isso Paulo afirma que tudo vem de Cristo. A consequência imediata é a participação do cristão em todos os aspectos de Cristo. Seja na vida, seja na morte. Quer dizer que a participação em Cristo ultrapassa mesmo a existência humana, pois tudo o que o cristão faz e o que ele é estão fundados no que Cristo fez por ele. Não existe vida cristã fora da obra de Cristo. Não existe vida cristã fora da morte e da ressurreição de Cristo. Essa condição vai além do fato de pertencer a uma comunidade religiosa local. A participação em Cristo é uma decisão pessoal de permanecer nessa relação restaurada por Deus em Cristo. Trata-se de uma tomada de consciência diária dessa nova condição de vida. Por isso Paulo descreve o processo de conhecimento e de experiência com Cristo mais adiante.

Uma coisa que devemos destacar aí: as coisas não ligadas a Cristo não são necessariamente a carnalidade em si. O fato de ser cristão não significa renunciar às características culturais da minha vida, pois há quem use essa linha para demonizar a cultura. Toda vez que se toma o cristianismo como algo meramente supracultural, adota-se como elementos inegociáveis da fé o que é uma cultura mundana, e aí caímos no exato erro de que Paulo está falando. No fim das contas, o problema é depositar confiança nessas coisas. | CM

Eu estava procurando aqui o comentário de Calvino, porque, se não me engano, ele escreve que a carne é tudo aquilo em que depositamos a confiança fora de Cristo. Por exemplo, ter fé em nossa ascendência é confiar na carne mesmo que não seja uma obra nossa. É algo que vem lá do passado, mas ainda representa confiar na carne. Não podemos achar que somos justificados por expressarmos uma cultura, por pertencermos a uma sociedade ou até por tomá-las ou adotá-las a partir do momento da conversão. Porém, devemos entender que há expressões culturais nisso tudo, porque o homem também não é separado de sua cultura. O problema real é confiar nisso.

Estamos numa época muito globalizada, em que há certo amálgama cultural no mundo todo. Em meio a essas coisas, costumamos confiar em nossa própria carnalidade quando depositamos uma esperança de autojustificação em relação ao trabalho, por exemplo. Alguém comentou que a nossa identidade está em Cristo, mas, muitas vezes, nós colocamos nossa identidade naquilo que fazemos, e não em Cristo. Também fixamos quem somos em nossa nação — que não é uma questão cultural, porque a cultura é muito maior que isso —, em uma ideologia nacionalista. Podemos confiar até em nossos vínculos familiares, o que é uma coisa bonita e moralmente elevada, no sentido de ter orgulho de pertencer a determinada família, contudo nada disso pode estar acima do que Cristo é em mim.

AM | Ou mesmo em dogmas, né, Cacau? "Se você não crer de tal forma ou da forma como eu creio, não pode ser chamado cristão." Às vezes, são coisas tão periféricas... As pessoas podem até pensar que estão defendendo o evangelho, a sã doutrina e tudo mais, porém voltamos ao que o Victor disse: o povo de Deus é formado por judeus de cultura judaica, por gregos de cultura grega, por romanos de cultura romana, por brasileiros de cultura brasileira, porque eles se ligam desde Abraão. "Por meio de você, todas as famílias da terra serão abençoadas" (Gn 12.3). Existe uma família idêntica a outra? Não! Está aí a diversidade! Não vamos nem entrar nisso, pois vai além da questão de Filipenses, mas é só para pensarmos sobre o que consideramos caro para nós.

ALCANÇANDO A MATURIDADE

Caminhando para o final do nosso papo, no capítulo 3 há a questão do "prosseguindo para o alvo". Paulo vai falar da perfeição cristã. Já vi bastante gente confusa com a ideia da perfeição: "Meu Deus, mas eu tenho que ser perfeito, e não consigo". No versículo 15, muitas traduções colocam: "Todos nós que alcançamos a perfeição", mas a palavra que está ali é mais bem traduzida por maturidade. Por isso, na NVT lemos: "Todos nós que alcançamos a maturidade devemos concordar quanto a essas coisas. Se discordam em algum ponto, confio que Deus o esclarecerá para vocês. Contudo, devemos prosseguir de maneira coerente com o que já alcançamos" (3.15-16).

RB

O próprio apóstolo já tinha admitido alguns versículos antes que não atingiu essa perfeição. "Não alcancei, mas concentro todos os meus esforços nisso. Esquecendo-me do passado e olhando para o que está adiante, prossigo para o final da corrida, a fim de receber o prêmio celestial" (3.13-14). Não sei o que vocês pensam sobre isso, mas precisamos tomar muito cuidado, porque vivemos ainda hoje aquele conflito do legalismo que Paulo também aborda nessa parte: as pessoas que colocam a salvação nos seus esforços e as outras que não fazem nada. Não existe um equilíbrio.

Segundo Paulo, o fato de estarmos em Cristo, de entendermos que a nossa justiça vem pela fé nele, e que por meio dela nós prosseguimos e perseveramos, está embebido na certeza de que "Deus está agindo em vocês, dando-lhes o desejo e o poder de realizarem aquilo que é do agrado dele" (2.13). É preciso ler a carta toda para não acharmos que só os nossos esforços são realmente importantes nessa jornada.

VF | A palavra grega que representa maturidade é *teleios* e nos indica justamente o contrário do que é esse ativismo exacerbado. Aliás, para isso, talvez seja ainda pior, pois podemos começar a pensar que somos insubstituíveis e que Deus precisa de nós para a obra dele. Na medida em que se alcança a maturidade, nota-se o contrário: somos absolutamente dispensáveis. Graças a Deus que é assim, porque mostra uma característica do próprio Deus. Ele não é um interesseiro que olha para mim e para você a partir daquilo que somos capazes de oferecer. Eu olho para minha tradição, para minha etnia, para tudo o que carrego no meu pano de fundo histórico, e o que sobra é lixo. Eu só tenho identidade em Cristo, e mesmo assim ele escolhe trabalhar comigo, revelando-se profundamente interessado em quem eu sou apesar de quem eu sou. Tem um sentido libertador, pois torna a corrida para o alvo, que é pesada, árdua, cheia de sofrimento, em algo recompensador, uma vez que conhecemos o amor interessado de Deus por nós.

Se olharmos bem para essa palavra, *teleios*, ela tem a mesma raiz de *telos*, "finalidade". Nós que alcançamos a maturidade temos uma finalidade, mas de qual finalidade Paulo está falando? Ora, de "experimentar o grande poder que o ressuscitou". Qual é a finalidade ou a maturidade? "Quero sofrer com Jesus participando de sua morte, para, de alguma forma, alcançar a ressurreição dos mortos." Mas, quando o apóstolo fala de maturidade, ele já tinha dito antes que não era a justiça dele, a cultura dele, nada dele, e que gostaria de experimentar ainda mais o poder da ressurreição de Cristo. O "estar correndo" é exatamente para isso! Não representa um prêmio para a salvação ou uma disputa. "Vou fazer mais e mostrar o quanto sou bom, o quanto tenho talento, o quanto sou isso ou aquilo." Não, porque tudo isso ficou para trás. A maturidade também significa a finalidade, e Paulo deixou claro sobre quais bases está correndo e para que está correndo, porque ele já tem tudo isso e, justamente por já ter tudo isso, ele quer conhecer ainda mais. | AM

Alguém alcançado pelo evangelho tem a justiça de Cristo imputada sobre a sua vida e vive de maneira regenerada. É alguém que corre não por conta e por justiça próprias, mas por causa da justiça de | RB

Cristo. Então, a partir do versículo 17, encontramos uma questão de ação. Às vezes, quando falamos essas coisas, parece que fica uma pergunta no ar: "Tá, gente, o que é que eu preciso fazer?". É como se algumas pessoas ficassem esperando, tentando entender se devem ou não tomar alguma atitude. Pois bem, você foi alcançado por Cristo? Viva como Cristo. Imite a Cristo, assim como Paulo fala: "Irmãos, sejam meus imitadores e aprendam com aqueles que seguem nosso exemplo. Pois, como lhes disse muitas vezes, e o digo novamente com lágrimas nos olhos, há muitos cuja conduta mostra que são, na verdade, inimigos da cruz de Cristo. Estão rumando para a destruição. O deus deles é seu próprio apetite. Vangloriam-se de coisas vergonhosas e pensam apenas na vida terrena" (3.17-19). O nosso comportamento denuncia onde estamos em Cristo, só que o nosso comportamento não nos salva. É nisso que a gente tem insistido nestes nove anos de Bibotalk.

A pureza como preparação para o dia de Cristo

Por Alexandre Miglioranza

Com frequência em suas cartas, mais especialmente na correspondência aos filipenses e tessalonicenses, Paulo se preocupa que os membros das igrejas sob sua responsabilidade mantenham um padrão de comportamento aceitável, a fim de que estejam prontos para o dia final (Fp 1.10). Entretanto, para que não haja dúvidas quanto ao lugar do mérito humano na salvação, Paulo afirma em Filipenses 3 que ele não colocava nenhuma confiança nos esforços humanos (3.3). Em seguida, menciona suas raízes hebraicas e seu zelo pela lei de Deus, e como os reavaliou negativamente a partir de sua experiência com Cristo (3.5-8). E, levando em conta essa experiência, Paulo continua, afirmando que deseja conhecer a Cristo e experimentar o grande poder que o ressuscitou para também experimentar a ressurreição (3.9-10). Por fim, ele termina o capítulo lembrando que nosso corpo mortal será transformado em um corpo glorioso como o de Cristo o foi (3.21).

Embora as ações humanas não estabeleçam nenhuma influência para a salvação e para a futura transformação corpórea, elas são muito importantes durante o processo de espera do retorno de Jesus (3.12-14). Entretanto, o delicado equilíbrio entre o bom comportamento humano e a justiça de Deus que se manifesta pela fé em Cristo (3.9) cria uma tensão na vida do cristão em meio a essa espera (3.20).

É importante destacar que essa tensão durante a espera pela volta de Jesus é experimentada apenas por aqueles que desenvolvem uma relação pessoal com Deus (1.21-23). Essa relação pessoal com Deus, que chamamos de salvação, é apresentada na carta aos Filipenses como um processo (1.6). Como em todo processo, existe um começo, um desenvolvimento e um término. Convém notar que, nesse texto, Paulo utiliza termos litúrgicos para descrever o início e o término do processo de salvação na vida do cristão. É como a descrição da realização de um culto. Isso quer dizer que, quando Paulo afirma que Deus completará a boa obra que ele começou em nós, o apóstolo faz referência a um culto com começo, meio e fim. Esse começo é descrito pelo termo grego *enarxamenos*, usado para descrever o início de um rito sacrificial e para estabelecer a origem de alguma coisa, e o término é apresentado pela palavra *epiteleó*, usada para marcar o fim de uma cerimônia religiosa e também no sentido de cumprir algo ou torná-lo perfeito.

Assim, Paulo afirma que Deus iniciou nosso relacionamento com ele, e, da mesma forma, Deus vai realizá-lo plenamente até a volta de Jesus. Por isso há um processo de desenvolvimento entre o início do relacionamento com Deus e a sua plena realização. A apresentação desse processo está relacionada com a mentalidade hebraica de Paulo, pois o tempo, na concepção hebraica, é estabelecido em uma linha contínua, separada por etapas, seguindo sempre para a frente, em progressão constante, até um fim. Nesse sentido, para Paulo, o início da etapa final da história é determinado pela vinda de Cristo, por sua morte e ressurreição. Assim, de certa forma, a eternidade entrou em nossa história quando o Cristo ressurreto viveu entre nós. O término dessa última fase da história é dado pelo retorno do Messias. Por isso, a vida do cristão, de acordo com Paulo, é considerada um culto a Deus até o dia da volta de Cristo, quando Deus mesmo o aperfeiçoará iniciando uma nova era na história da humanidade.

Contudo, enquanto isso não acontece, o cristão vive entre duas eras. Há uma sobreposição de épocas diferentes na vida do cristão. Essa sobreposição é marcada, por um lado, pelo começo da eternidade, uma vez que Deus estabeleceu o início da "boa obra" em sua vida, e tornará o seu fim perfeito quando Jesus, o Messias, voltar para estabelecer a eternidade de fato. Por outro lado, o cristão ainda vive nesta época com todas as suas limitações e dificuldades, da mesma forma que Paulo estava preso quando escreveu essa carta. O cristão, portanto, vive nesta história, aguardando o aperfeiçoamento de seu culto cotidiano na volta de Jesus. O início da eternidade e o fim da história da humanidade são estabelecidos a partir da vinda, da morte, da ressurreição de Jesus e do seu retorno em glória. Consequentemente, o cristão experimenta no dia a dia as tensões de ainda viver nesta era aguardando o cumprimento total de sua vida na volta de Cristo, quando seremos ressuscitados como ele o foi.

Jesus inaugurou a eternidade na história humana com a sua ressurreição. Uma vez ressurreto para a eternidade, ele esteve com a humanidade e, por isso, a eternidade se fez presente na história. Assim, a humanidade desfruta da presença eterna de Deus nesta história. A conversão, então, é o momento em que alguém se torna consciente dessa presença por meio da ação do Espírito Santo e passa a desenvolver uma relação pessoal com Deus. Nesse ponto, Paulo se fundamenta na teologia do Antigo Testamento, que mostra a presença de Deus no meio do povo por meio do tabernáculo e depois por meio do templo. É por isso que ele afirma que tanto a comunidade formada por cristãos quanto o cristão individualmente são templos de Deus (1Co 3.16-17; 6.19; 2Co 6.14—7.1). Por outro lado, como vimos acima, toda a vida do cristão está inscrita num ambiente de culto contínuo enquanto Jesus não retornar. É nesse ponto que a metáfora do cristão como um templo de Deus ganha vida, pois, de acordo com o Antigo Testamento, o culto acontece no templo. Uma vez que Deus se manifesta no templo, este deve estar limpo e purificado para receber sua presença. Da mesma forma, antes do templo havia o tabernáculo, que era chamado também de "tenda do encontro". Logo, podemos afirmar que o culto é o encontro com Deus. O cristão tem um encontro cotidiano com o Deus eterno, ainda nesta história, enquanto Jesus não voltar para estabelecer definitivamente a eternidade. É por essa razão que a concepção de pureza de vida durante a espera pela volta de Jesus é uma das preocupações de Paulo com os cristãos.

Contudo, além da imagem do templo, Paulo também afirma que o cristão é simultaneamente a oferta e o sacerdote. Essas imagens também fazem parte da teologia do Antigo Testamento. E, da mesma maneira que o templo deveria ser consagrado em razão da presença de Deus, o sacerdote e a oferta precisavam apresentar-se puros para o culto oferecido a Deus. Com isso, em Romanos 12.1-2, Paulo liga o culto racional do cristão à advertência a não ter o mesmo comportamento do mundo. O desenvolvimento e a progressão desse culto são observados na maneira com que o cristão se deixa transformar por Deus, pois a transformação da mentalidade não consiste em um evento único em sua vida, mas sim em um ato contínuo prolongado até o retorno de Jesus. Consequentemente, o cristão está sempre posicionado numa atitude de culto diante de Deus, e por isso sua vida deve ser pura e transformada cotidianamente.

De volta à Filipenses, Paulo, pensando em seu martírio, declara que ele próprio é uma oferta derramada diante de Deus, e afirma o mesmo com relação ao serviço que aquela igreja desenvolvia (2.17). O termo em grego que foi traduzido por "serviço", nesse verso, é *leitourgia*. É a palavra que originou o termo "liturgia". Em seu sentido original, refere-se a um serviço religioso realizado por um sacerdote. Além disso, nos versos anteriores, Paulo associa a pureza da vida cristã (2.15) à espera da volta de Cristo (2.16). O que devemos notar em 2.15 é que os termos que Paulo usa para descrever a pureza são todos termos usados para estabelecer o estado da oferta no culto apresentado no Antigo Testamento. Mais uma vez, notamos que toda a vida do cristão é um culto a Deus, até a volta de Jesus. Na realização desse culto, o cristão é, simultaneamente, o templo, a oferta e o sacerdote. O cristão experimenta, assim, vários aspectos da presença de Deus enquanto aguarda a volta de Cristo, pois Deus habita no templo, onde a oferta é oferecida a Deus pelo sacerdote que está diante de Deus.

Capítulo 04

Rodrigo Bibo, Cacau Marques, Victor Fontana e Alexandre Miglioranza (BTCast 345).

O capítulo 4 está intimamente ligado ao 3. Paulo inicia o capítulo já anunciando o fim da carta, e aqui no início do capítulo 4 ele começa com *portanto*, uma conjunção conclusiva: "Portanto, meus amados irmãos, permaneçam firmes no Senhor. Amo vocês e anseio vê-los, pois são minha alegria e minha coroa de recompensa" (4.1). É como se dissesse: "Tudo o que escrevi até aqui os ajudará a permanecer firmes em Cristo". Paulo demonstra um carinho imenso pelos filipenses. Aliás, meus amigos, me ajudem aqui sobre uma questão. Pela minha memória, Filipos era a única igreja de que Paulo aceitava oferta, porque, se não me engano, ele diz aos coríntios que não aceita nada deles para não ser pesado aos irmãos. Alguém se lembra de alguma coisa nesse sentido? | RB

Não sabemos ao certo de quem ele recebeu ofertas. Só dá para entender que ele preferiu não se fazer pesado a algumas igrejas. Explicitamente tem isso daqui, mas, se você pensar bem, Paulo realizou a coleta quase na Ásia inteira. | VF

RB | Pelo texto, podemos afirmar que ele aceitava ofertas dos filipenses? No relato bíblico, é a única igreja de que temos menção disso, certo? Enquanto, para outras igrejas, ele não queria se fazer pesado e, por isso, fabricava as tendas e tudo mais.

VF | Isso dá para afirmar! Só não dá para afirmar que Filipos era a única. Mas isso porque ele precisou, já que estava preso.

PAREM DE BOBEIRA

RB | Em 4.2, Paulo começa a falar algumas "palavras de incentivo", segundo a definição no subtítulo dessa passagem na NVT. Ele incentiva duas irmãs, Evódia e Síntique, a resolverem um problema pessoal, "tendo em vista que estão no Senhor". É interessante ele mencionar esse caso e não dar nenhuma explicação sobre o motivo da briga, já que se fala muito da unidade nessa carta. Paulo começa com "resolvam esse desentendimento", ou seja, andem em concordância, como foi descrito nos capítulos 2 e 3, e carreguem a carga juntas, certo?

AM | Paulo diz assim: "Tenham a mesma mente", ou, na verdade, o "mesmo modo de pensar". "Julguem juntas", o que vai no sentido de "aprendam juntas", "tenham o mesmo entendimento juntas". Ele já abordou essa questão da discordância lá em 3.15: "Todos nós alcançamos a maturidade, a finalidade para a qual nós estamos em Cristo.

Devemos concordar quanto a essas coisas, mas, se discordamos de algum ponto, confio que Deus esclarecerá para vocês". No capítulo 4, o apóstolo continua isso e fala às irmãs: "estejam em concordância".

CM

Paulo fala para elas resolverem a questão "tendo em vista que estão no Senhor", e aqui aparece mais uma vez aquela palavrinha *phroneō*, que abordamos lá no capítulo 2. Novamente, os filipenses devem ter o mesmo modo de pensar, o mesmo sentimento, a mesma atitude de Cristo, ou seja, ele reforça a unidade de Jesus promovendo a unidade da igreja, um tema constante de Paulo ao falar de comunhão. Lembremos que, para os colossenses, o apóstolo diz que o fato de não haver divisão entre nós acontece porque Cristo é tudo em todos (Cl 3.11). Com os coríntios, é a mesma coisa: se forem espirituais, então serão unidos (1Co 3).

Também é interessante ver como Paulo pede o auxílio de um colaborador em 4.3 para ajudar "essas duas mulheres, pois elas trabalharam arduamente comigo na propagação das boas-novas, e também com Clemente e com meus outros colaboradores, cujos nomes estão escritos no livro da vida". Esse trabalho como elemento de comunhão é bastante interessante. Discutimos isso no capítulo 2, mas retomo aqui. Como seguimos para o mesmo lugar, caminhamos juntos e, se não tivermos um objetivo, seremos separados ao longo da jornada.

RB | Independentemente do motivo ou de quem estava certa ou errada, o desentendimento delas não importa, porque, antes, no capítulo 2, Paulo ensina os filipenses a considerarem os outros superiores a si mesmos. Isto é, não se preocupem apenas com os próprios interesses: sejam humildes! "Evódia e Síntique, não me interessa o motivo. Vocês precisam se acertar, porque devem ter o mesmo sentimento." Cristo não considerou as suas coisas, mas, sim, o outro, por isso se entregou.

AM | Creio que Paulo é proposital ao dizer na continuação, em 4.3: "E peço a você, meu fiel colaborador". Ele poderia falar: "Peço a você meu fiel amigo, meu irmão", ou mesmo nomear a pessoa. O apóstolo faz isso para chamar a atenção de Evódia e Síntique, que já tinham trabalhado juntas. A exortação não é no sentido de bronca. É um encorajamento a buscar o mesmo entendimento em unidade, e a utilização de "meu fiel colaborador" contribui para que elas percebam que estão cometendo um erro.

VF | Literalmente a ideia é de "co-labor", ou seja, labor feito em conjunto. Com frequência e além de Filipos, Paulo usa a memória dos próprios leitores para destacar seu ponto. "Lembra, gente? Lembra? Vocês pregavam o evangelho juntas até outro dia, e agora estão brigando por bobeira". Assim, ele pode chamar qualquer coisa de bobeira, porque já disse que a própria etnia dele não vale nada perto de Cristo e de estar com ele.

E estar com ele é estar em missão, ter um objetivo em comum, como o Cacau disse acima. Aliás, no BTCast 292, "Tretas na Igreja" [ver Apêndice], o Cacau disse algo nessa direção também. Que, se não temos missão, não temos propósito, e por causa disso vamos discutir a cor da flor que enfeita o púlpito, entre outras futilidades. Paulo não foca aquilo que gerou o desentendimento, ele foca a missão. Cristãos focados na missão, na pregação das boas-novas, devem aprender a resolver em amor os desentendimentos e embaraços que surgem pelo caminho. | RB

Outro ponto bacana que vejo nesse trecho é Paulo pedindo para um terceiro intermediar a situação. Muitas vezes, quando estamos em situação de desavença com um irmão, não conseguimos enxergar o óbvio para dissolver a tensão, e nisso a missão fica desfocada. Precisamos estar sempre em relação de discipulado e ser uma igreja conciliadora. Afinal, temos o ministério da reconciliação, e se uma treta entre os membros não puder ser resolvida em diálogo, humildade e amor, como anunciaremos ao mundo um Deus que quer reconciliar consigo toda a humanidade?

O que é ansiedade?

Por Bruno Mori Porreca

> Não vivam preocupados com coisa alguma; em vez disso, orem a Deus pedindo aquilo de que precisam e agradecendo-lhe por tudo que ele já fez.
>
> Filipenses 4.6

Ansiedade é um tema da moda. De programas de televisão a debates acadêmicos, o assunto se encontra disseminado. Já se fala de "transtornos de ansiedade" e que vivemos em uma "geração ansiosa". Mas o que, de fato, seria ansiedade? Será que tudo o que tem sido dito por aí se enquadra numa definição correta do termo? E o que a Bíblia tem a dizer a esse respeito? Seria a ansiedade um pecado? Cristãos podem se sentir ansiosos?

De maneira mais precisa, a ansiedade pode ser descrita como a reação emocional prolongada de um organismo a qualquer possível ameaça futura. Mas o que isso quer dizer? Primeiramente, que *a ansiedade se refere mais a uma expectativa de perigo do que a um objeto real.* Essa é a grande diferença entre ansiedade e medo. Pegue o exemplo de alguém que tenha medo de cachorros. Quando essa pessoa, ao andar pela rua, depara com um cão, imediatamente tem uma resposta de medo: as pernas tremem, o coração acelera, ela sua frio. Mas existe aqui uma situação ameaçadora imediata. Agora digamos que essa mesma pessoa tenha encontrado não um cão, mas um amigo na rua, e este lhe convida para ir a sua casa, ao que ela imediatamente pergunta: "Mas você não tem cachorro em casa, tem?". Essa é a típica pergunta de alguém ansioso. A mera possibilidade de encontrar um objeto que a assuste (nesse caso, um cachorro) já desperta nela toda sorte de preocupações. A ansiedade é sempre orientada para o futuro. Não ficamos preocupados com o passado, mas com qualquer possível catástrofe ou tragédia futura. A pergunta-chave que todo ansioso sempre se faz é: "E se?".

Isso nos leva a nosso segundo ponto: ansiedade não é algo necessariamente ruim. Ela é uma reação natural e adaptativa. É justamente porque você fica ansioso por medo de ser mordido por um cachorro que você evita se expor a riscos. De modo semelhante, é porque fica ansioso por causa de uma prova que se dedica a estudar mais. Nesse sentido específico, a ansiedade é uma coisa boa. É ela que evita que sejamos imprudentes em nossas escolhas. O problema surge quando a ansiedade é excessiva ou irreal, a ponto de limitar a vida. Nesse caso, aquilo que deveria servir para nos proteger acaba nos escravizando.

A ansiedade tem uma apresentação complexa, que pode variar de pessoa para pessoa e com diferentes níveis de intensidade. Mas existem alguns efeitos mais reconhecidos que as pessoas costumam relatar:

- *Sintomas físicos:* palpitação, taquicardia, falta de ar, dor no peito, coração acelerado, sensação de asfixia, tremores, fraqueza, boca seca, calafrios, sudorese, vertigem.
- *Sintomas cognitivos/mentais:* medo de perder o controle, medo de enlouquecer, dificuldade de raciocínio, perda de memória, dificuldade de concentração, sensação de confusão ou sensação de "perigo iminente".
- *Sintomas comportamentais:* tentativas de fugir ou evitar o perigo, paralisia, dificuldade para falar, agitação, hiperventilação.
- *Sintomas emocionais:* nervosismo, temor, irritação, medo, impaciência, frustração.

Mas como podemos diferenciar uma ansiedade "normal" de uma "patológica"? Precisamos admitir que a linha que as separa é tênue. E muitas das reações são as mesmas nas duas situações. O ideal é que, em caso de suspeita de um nível excessivo de ansiedade, a ponto de ser patológico, a pessoa procure ajuda profissional com um psicólogo ou um psiquiatra.

Isso tudo é muito importante. Mas e quanto à ansiedade do *cristão*? Afinal, a Bíblia não descreve a ansiedade como pecado? Sim e não. Um ponto que precisa ser enfatizado é que toda a esfera natural, que os cristãos chamam de Criação, é obra de Deus, criada e sustentada por ele. E, como diz a própria Escritura, Deus viu que sua criação "era boa". Significa que nenhum elemento natural é mau por si só. E isso vale tanto para a lei da gravidade como para os ecossistemas da floresta Amazônica, tanto para a órbita dos planetas como para o funcionamento de nossos hormônios e neurotransmissores. A ansiedade, sendo parte da criação de Deus, não é uma coisa ruim. Dá até para dizer que ela é "boa", pois foi Deus quem nos criou com a capacidade de senti-la. Acontece que, com o pecado de Adão e a Queda, o mundo natural entrou em desordem. A criação está longe de funcionar como seu modelo original. Então aquilo que deveria ser algo que nos beneficia e abençoa, acaba sendo prejudicial.

Isso quer dizer que o pecado gera ansiedade? Eu diria que o pecado *agrava* a ansiedade que já existe em nosso coração. E não somente isso: justamente por ser um reflexo das expectativas irreais que possuímos, a ansiedade pode ser um sinal de que estamos colocando nossa confiança em outra coisa que não no Senhor. Pode ser em uma oportunidade de trabalho ou no sonho de um casamento, mas não no Deus que nos abençoa generosamente. Em outras palavras, a ansiedade pode ser um sintoma dos ídolos secretos em nosso coração. Ao mesmo tempo, um cristão pode ficar extremamente ansioso por causa dos pecados que comete: o medo da punição divina, das consequências do próprio pecado, do inferno, do julgamento dos irmãos, etc. Mas vale lembrar aqui que, mesmo com essas reações extremas, a ansiedade não se torna um mal em si. Ela é agravada, distorcida e degenerada pelo efeito da Queda, a ponto de tornar a vida de alguém um verdadeiro inferno.

A boa notícia é que em Cristo toda a criação encontra seu propósito original. Nele todas as coisas são redimidas, incluindo nossas emoções. Aquela ansiedade destrutiva que se mistura com a culpa por um pecado cometido desaparece quando confessamos nossa transgressão. E podemos passar a ter expectativas mais realistas quanto ao futuro, assim como podemos nos sentir seguros quando as coisas não acontecem do jeito que imaginamos. Isso não significa que nunca mais sentiremos ansiedade. Afinal, somos humanos, seres frágeis e finitos. Significa, isto sim, que a ansiedade não mais nos domina, não mais nos controla. Cristo agora é Senhor sobre o nosso coração!

Você é cristão e enfrenta lutas contra a ansiedade? Saiba que não está sozinho. Existem muitos como você. Todos temos nossas lutas, e alguns enfrentam essa batalha particular com a ansiedade. Lembre-se de que, sempre que achar necessário, é possível buscar ajuda especializada, seja com um psicólogo, seja com um psiquiatra. Mais importante ainda, lembre-se de que Cristo é Senhor sobre a sua ansiedade.

ALEGRIA, TRISTEZA E GRAÇA

Agora, olha o tom escatológico, olha a *parousia* sempre iminente nos textos de Paulo: "Alegrem-se sempre no Senhor. Repito: alegrem-se! Que todos vejam que vocês são amáveis em tudo que fazem. Lembrem-se de que o Senhor virá em breve" (4.4-5). Estamos falando da alegria ao longo do livro, e acho que podemos nos deter nela agora. É importante perceber como essa emoção define quem está em Cristo na visão do apóstolo.

AM | Além disso, o termo "alegria", *khara* em grego, está na mesma família ou tem a mesma raiz etimológica de "graça", *kharis*. Assim, Paulo retoma novamente a questão da graça e da paz, pois a alegria que ele tem é dependente da graça de Deus. Nessa mesma linha de raciocínio, o sentido da justiça não vem do apóstolo, porque o restabelecimento de sua relação com Deus deriva diretamente de Cristo. Ele corria para o alvo, ele corria para a finalidade de sua vida, que era conhecer cada vez mais Jesus e o poder de sua ressurreição. Qual o grande final disso? A alegria que começa na graça e passa pela morte e ressurreição de Cristo. Enfim, todas as experiências que levaram Paulo a entender que ele, sua cultura e sua origem não eram nada e que Jesus era tudo. E o final disso tudo é a alegria

CM | Temos que notar alguns detalhes nisso, e é muito bom que o Miglioranza tenha buscado essa ideia lá no início, na graça e na paz, porque acho que tem tudo a ver com o que estamos falando agora. Às vezes, a partir desse texto, nós fazemos uma teologia do contentamento. O modo como Paulo escreve parece ser uma espécie de mandamento, o que faria da tristeza um pecado. Claro que não é isso — afinal, Cristo ficou triste a ponto de morrer.

Alegrar-se no Senhor é justamente encontrar nele as motivações para essa ação e é algo que vem da graça, que continua sobre nós mesmo quando as circunstâncias são adversas. Isso se conecta com a própria situação de Paulo. No capítulo 1, ele diz que o mal foi revertido por bem, que ele está feliz porque suas algemas fizeram o evangelho conhecido por toda a guarda pretoriana. Mesmo em contratempos, há um lugar para a alegria, pois Deus está conosco. Não quero dizer que não podemos ficar tristes, mas, sim, que precisamos rememorar: a tristeza não tem a palavra final!

Seguindo os passos de Paulo, quero lembrar uma conversa *on-line* que tive com o próprio Miglioranza, quando ele detalhou como não há um fim para a alegria. Existe um limite, uma finalidade e um objetivo para a tristeza. Nós crescemos no sofrimento, nós nos desenvolvemos, e isso é bíblico! Nós nos gloriamos na tribulação porque é por meio dela que se produz um caráter aprovado. Fiquei pensando nessas coisas, mas nunca contei ao Miglioranza aonde a reflexão dele me levou. De fato, adversidades, tristezas e problemas são também meios usados por Deus para moldar nossa vida. É claro, não vamos romantizar o sofrer aqui, mas acontece e é teológico: basta pensarmos, por exemplo, no espinho na carne de Paulo para que não se orgulhasse.

Enxergamos esse propósito da tristeza, enquanto a alegria parece ser apenas uma celebração. Isso é justamente porque ela não tem fim: é o fim em si mesmo. A tristeza tem fim e finalidade, porque, em determinado dia, acabará, ou seja, haverá um momento em que ela deixará de nos afetar. Toda lágrima será limpa, e os que choram receberão consolo. Nesse sentido, conseguimos ficar alegres no Senhor em meio à tribulação, já que o sentimento vem de olhar para Deus e para a graça que recebemos na cruz.

Por que estou falando da cruz aqui? Logo em seguida, em 4.6, Paulo diz para não ficarmos preocupados com coisa alguma e para orarmos a Deus, pedindo aquilo de que precisamos e agradecendo por tudo o que ele já fez e, então, experimentaremos a paz dele. Há algumas maneiras de lermos essa paz. A primeira é circunstancial: "Jesus acalmará essa tempestade pela qual estamos passando, então ficaremos tranquilos quando isso acontecer". Não é essa ênfase que a Bíblia traz a respeito de enfrentar as tribulações.

Outra leitura é a paz subjetiva, por exemplo: "Vou orar, Deus trará a paz ao meu coração e inexplicavelmente sentirei paz mesmo em meio a um tiroteio". Ainda que possamos ver algum tipo de ensinamento assim no que as Escrituras apresentam, essa leitura não explica a raiz da paz. É apenas uma paz subjetiva. Você a sente a partir do nada, mas o que Paulo traz aqui é um sentimento real, que já existe. É a paz de Deus ou com Deus.

Alguns comentaristas fazem essa leitura, e mostram de que forma ela nos leva a entender que o Senhor age a nosso favor. Estamos falando de algo constante em meio a muitas adversidades: ainda que as circunstâncias estejam caindo aos pedaços, que tudo pareça ruim e meu coração não ande nos melhores dias, existe uma cruz na qual Deus demonstrou amor para comigo e me disse para estar em paz. Não há nenhum tipo de desavença entre mim e o Senhor. Como ele está acima de qualquer situação, posso confiar que age a meu favor, logo toda circunstância negativa é tristeza momentânea. Por isso, não preciso andar ansioso por coisa alguma; uma hora, isso vai passar! Se os problemas estão nas mãos de Deus, sei que estão nas melhores mãos possíveis. Como tenho certeza disso? Porque isso já aconteceu na história, porque isso aconteceu na cruz de Jesus Cristo, e a paz segue mantida lá.

Na parábola do semeador, os espinhos que sufocam uma das sementes representam as preocupações da vida. Não podemos carregar tudo no peito e esquecer que temos a paz com Deus. Caso isso aconteça, confundiremos as circunstâncias e, assim, acabaremos idolatrando todas elas. Precisamos lembrar: ainda que dê tudo errado, o Senhor segue conosco.

AM

Pensando em tudo isso que o Cacau trouxe, podemos pegar o significado de "paz" e perceber que o termo vem de uma junção de partes essenciais. O que foi unido? Exatamente o que Paulo fala de sua justiça própria, ou seja, ele tentava se aproximar de Deus por seus próprios esforços, mas isso não resolveu nada. O apóstolo então compreendeu que não era a justiça, a cultura ou os esforços dele que haviam restabelecido a relação com Deus. Isso veio de Cristo. É justamente essa a paz! Jesus restabeleceu duas coisas que estavam separadas num todo harmonioso: Deus e a sua criação.

CM | Para todos os que se sentem abatidos, ansiosos, temerosos ou entristecidos neste momento, lembrem-se de que existe uma alegria real no Senhor. Ela nem sempre é sentida por nós, pois nós nos entristecemos. Mas ela segue viva. Eu me recordo de uma música que cantava quando criança: "Quem tem Jesus gosta de cantar e vive sempre sorrindo mesmo quando não dá". Essa música é mentira. Quem ri quando não dá não é quem tem Jesus. É louco, é o Coringa! A gente ri quando tem de rir, a gente chora quando tem de chorar, mas existe uma alegria real, porque Deus, que é pleno em alegria, entristeceu-se profundamente em Cristo no jardim do Getsêmani. Mesmo assim ele encarou a morte, que era o motivo de sua tristeza, para nos trazer uma alegria real. Ou seja, ainda que haja tristeza em nossa vida, ela é passageira, ela não é a realidade última da existência, porque Deus é, e essa tristeza é infinitamente menor do que a tristeza que Jesus sentiu por nós. Por isso podemos nos alegrar no Senhor, visto que ele é fonte inesgotável de alegria.

RB | Por isso Paulo pode falar em seguida: "Não vivam preocupados com coisa alguma; em vez disso, orem a Deus pedindo aquilo de que precisam e agradecendo-lhe por tudo que ele já fez. Então vocês experimentarão a paz de Deus, que excede todo entendimento e que guardará seu coração e sua mente em Cristo Jesus" (4.6-7). Nesse trecho, tudo o que o Cacau falou fica claro. Não é como alguns dizem: "Pessoal, agradeça porque Deus já fez". A galera quer materializar a bênção com pensamento positivo travestido de fé. Querem agradecer pela bênção que ainda não chegou, e talvez nem chegue, da forma como muitos esperam.

VF | Em certo sentido, temos que pensar que a bênção já chegou e ela vai voltar. Costumamos dizer que, no contexto da Antiguidade oriental, a bênção é sempre algo concreto, observável e mensurável. Qual a tentação, então? Achar que as coisas à nossa volta são a bênção e nos trarão felicidade ou paz, conforme o Cacau mencionou. Na Nova Aliança, a concretude da bênção está nos cravos nas mãos e nos pés de Cristo. Está nos espinhos que perfuraram a cabeça dele, nos pedaços de carne de suas costas após as chibatadas. Está no catarro e na saliva que caem de seu rosto depois das cusparadas. O aspecto concreto da bênção é esse corpo destruído, arrebentado contra o madeiro, sendo cuidadosamente refeito para, no terceiro dia, aparecer ressurreto.

A CONCRETUDE DA FÉ

Essa é a concretude: a presença real de Cristo, da qual não somos dignos de desfrutar, mas da qual desfrutamos porque ele venceu o mal e a morte, e por isso anunciamos que a bênção já chegou, mas há de retornar. Aqui, voltamos ao que o Cacau disse: a maldade, a crueldade, o sofrimento e cada elemento concreto que nos levam à tristeza têm data de validade. Quem enxugará as nossas lágrimas é o próprio Cristo, que morreu na cruz concretamente, ressuscitou concretamente, pregou aos discípulos no caminho de Emaús e comeu peixe com eles concretamente, e que agora nos aguarda para o dia em que celebraremos um grande banquete juntos.

AM | É por isso que Paulo já descreveu em 3.10 essa concretização do relacionamento dele com Cristo, que se experimenta na morte e na ressurreição. A fé do apóstolo não era gnóstica ou fluida, mas concreta e observável, baseada em fatos históricos e em coisas que ele tinha vivido e que desejava viver ainda mais.

VF | Uma fé que se iniciou quando ele teve a experiência com Cristo concreto ressurreto.

AM | Eu ia falar exatamente isso. Em tudo isso Paulo está concretizando sua fé, porque ela não é puramente intelectual. “Eu creio que Jesus morreu e ressuscitou.” Ok, mas como esse entendimento se traduz na minha segunda-feira de manhã? Como aparece num dia de chuva? Como aparece quando passo por alguma situação que vai além da minha capacidade de lidar com ela?

Estava falando com um grupo de universitários recentemente e comentava com eles que o maior erro do protestantismo *mainline*, esse de liturgia mais alta presente nas primeiras grandes denominações protestantes, foi transformar a fé em um fenômeno que depende apenas da nossa recepção do texto. Hoje, damos pouca margem à objetivação do texto. A questão é: uma vez que aquela passagem foi externalizada para mim, uma vez que eu tive contato com o texto, como essa mensagem se traduz nas minhas atitudes, no meu relacionamento com as pessoas, nos princípios que são mantidos, nas minhas relações comerciais, na maneira como ensino meus filhos? Conforme isso ganha vida prática, aprendemos que a fé não é meramente na leitura e na compreensão do texto. Só a absorvemos após praticarmos aquilo que Jesus mandou. Ele não ordenou que aprendêssemos, mas sim que obedecêssemos. A cruz e a ressurreição precisam me levar à obediência e a conhecer Jesus, fazendo com que eu o imite em tudo. | VF

PODEMOS TODAS AS COISAS EM CRISTO

Entre os versículos 10 e 12, Paulo dá continuidade a essa questão da concretização da fé no dia a | AM dia. Em 4.10, a alegria de Paulo com a preocupação que os filipenses tinham para com ele revela essa concretude da fé, e isso fica ainda mais claro no verso 11, quando ele afirma "Não digo isso por estar necessitado, pois aprendi a ficar satisfeito com o que tenho", e, logo em seguida, acrescenta no verso 12: "Sei viver na necessidade e também na fartura. Aprendi o segredo de viver em qualquer situação, de estômago cheio ou vazio, com pouco ou muito". Aí vem o clássico verso 13: "Posso todas as coisas por meio de Cristo, que me dá forças". Esse trecho todo é a concretização da fé que o apóstolo tinha, porque não adiantaria muita coisa se dissesse que tinha o Senhor e mantinha um relacionamento com ele, mas, em momentos de necessidade, deixasse Deus de lado ou esquecesse seus colaboradores.

Assim, o apóstolo prova mais uma vez na prática que a sua fé é concreta e real, a ponto de ser aprovada pelo Senhor em meio às necessidades. Qual a visão que ele terá dessa circunstância? Aqui, retomamos um pouco do que o Cacau disse: a nossa alegria no Senhor não depende das situações externas, porque tudo o que ele fez por nós independe delas. Se estivéssemos presos a elas, esqueceríamos Deus quando as coisas caminhassem bem, afinal, eu é que teria produzido essa riqueza, eu é que teria me esforçado... Seja no ruim, seja no bom, temos uma tendência a deixar o Senhor de lado. Paulo completa a ideia do verso 13: "Posso todas as coisas por meio de Cristo, que me dá forças", isto é, posso passar pelo tempo bom porque eu sei que não é a circunstância da vida que está me definindo, e posso passar também por momentos ruins, porque não são esses momentos que vão definir a minha relação com Deus. O que define minha relação com Deus é Cristo.

VF Então "tudo posso naquele que me fortalece" não é teologia da prosperidade?

CM Nem teologia da prosperidade, nem da libertinagem, né? "Crente pode fazer isso?" "Sim, posso todas as coisas por meio..." (*risos*)

AM Prêmio de exegese do ano para essa aí. (*mais risos*)

RB Paulo reconhece que ele pode todas essas coisas por meio de Cristo Jesus. Em episódios antigos do Bibotalk, já falamos sobre "bonança e faltança", o fato de que podemos estar satisfeitos em Deus tanto na alegria quanto na tristeza. O apóstolo escreve que pode todas as coisas naquele que lhe dá forças, mas é interessante perceber que, mesmo assim, ele analisa positivamente o apoio que recebe dos irmãos durante as dificuldades enfrentadas. Nós acreditamos na comunhão e defendemos a unidade porque ela foi essencial para Paulo. Posso passar perrengue? Posso, e estou alegre porque a minha alegria está em Cristo, mas é legal ver que há pessoas nos auxiliando em meio às circunstâncias.

A partir do versículo 15, o apóstolo começa a elogiar os filipenses e fica alegre. Ele entende que tem tudo de que precisa e que estaria feliz se não tivesse, porém fica grato por tê-las. "No momento, tenho tudo de que preciso, e mais. Minhas necessidades foram plenamente supridas pelas contribuições que vocês enviaram por Epafrodito. Elas são um sacrifício de aroma suave, uma oferta aceitável e agradável a Deus. E esse mesmo Deus que cuida de mim lhes suprirá todas as necessidades por meio das riquezas gloriosas que nos foram dadas em Cristo Jesus" (4.18-19). Essa materialização do cuidado de Deus é muito bacana e, em última análise, como disse o Victor, representa Jesus Cristo, sendo replicada também no cuidado entre os irmãos.

CM | Quero acrescentar um detalhe bem interessante. Por que Paulo está alegre pelo fato de os filipenses se envolverem no sofrimento dele? O apóstolo enxerga a situação como uma oportunidade que eles têm de participar. Não é porque Paulo precisa, pois, mesmo necessitando ou não, ele aprendeu a ser contente tanto na carência quanto na abundância. Na verdade, é uma oportunidade de dividir a angústia com alguém, e isso representa adoração a Deus.

O apóstolo afirma que as ofertas sobem para o Senhor como cheiro suave, ou seja, parte do nosso culto enquanto igreja é cuidar de quem sofre, até mesmo sustentando, se necessário. Às vezes, a gente pensa que a vida de adorador é só cantar ou tocar na igreja, mas não é bem assim. A adoração está em toda nossa trajetória, que deve ser dedicada a Deus e que sobe como oferta suave.

Essa visão condiz muito com o que é dito em 2Coríntios. Naquele contexto, a oferta era para os irmãos da Judeia, mas também fala daquilo que semeamos, e o resultado é uma colheita de adoração a Deus. Quando as pessoas recebem a oferta, agradecem ao Senhor e o louvam. Ao partilhar o que temos com os necessitados, geramos uma adoração. Então, pensando no contexto da pandemia que tem assolado o mundo, fica uma boa lição: agradeça a Deus porque ele sustentou você mais um dia e seja generoso com quem tem menos.

Que a graça do Senhor Jesus Cristo seja com o espírito de vocês, amém!

Pensamentos virtuosos

Por Rodrigo Bibo

> Por fim, irmãos, quero lhes dizer só mais uma coisa. Concentrem-se em tudo que é verdadeiro, tudo que é nobre, tudo que é correto, tudo que é puro, tudo que é amável e tudo que é admirável. Pensem no que é excelente e digno de louvor. Continuem a praticar tudo que aprenderam e receberam de mim, tudo que ouviram de mim e me viram fazer. Então o Deus da paz estará com vocês.
>
> Filipenses 4.8-9

Na reta final de sua carta, o apóstolo recomenda uma lista de virtudes para que os filipenses se concentrem/pensem nelas, isto é, para que se foquem nelas a ponto de serem por elas governados. Os termos em grego sugerem uma ação contínua, apontam para um estilo de vida, algo em que Paulo insiste na carta.

As virtudes listadas nessa passagem eram comuns na filosofia grega estoica e apontavam para uma moralidade popular. Os filipenses deveriam observar aquilo que tem de bom na cultura ao seu redor e, é claro, ir além, pois deveriam praticar o que também aprenderam com Paulo, uma vez que o apóstolo também conhecia a sabedoria judaica de seu tempo, que, por sua vez, também refletia essas virtudes.

Em 4.9, fica clara a importância da doutrina dos apóstolos (At 2.42). Os verbos *praticar, aprender, receber, ouvir* e *fazer*, presentes nesse texto, mostram a dinâmica do discipulado. Paulo se coloca como exemplo a ser seguido (3.17), entretanto seu ministério apostólico é fruto de algo maior que o apóstolo em si: ele também recebeu (tradição) o que está transmitindo por meio de palavras e atitudes. Aliás, já ficou claro que para Paulo não há dissonância entre doutrina e devoção, entre aquilo em que ele afirma crer e aquilo que ele faz.

Sendo assim, aprendemos que enfocar virtudes deve ser o caminho do cristão. E que o contrário também se aplica, isto é, ficar pensando em coisas não virtuosas tira o nosso foco daquilo que realmente importa. Como escreveu Steven Lawson:

> Se nos concentrarmos no que é certo, viveremos corretamente. Da mesma forma, se nos concentrarmos no que é errado, viveremos de maneira errada. Existe essa conexão indissolúvel entre o que pensamos e como vivemos. Pensamentos certos produzem uma vida correta; pensamentos errados produzem uma vida errada. Não podemos

concentrar nosso pensamento em coisas erradas e depois viver de maneira certa. Aquilo que depositamos em nossa mente volta com juros na nossa vida. [p. 214-215]

Tendo a concordar com o que foi exposto acima. Acredito que nossos pensamentos influenciam diretamente nossos comportamentos. Agora, é claro que isso não é uma relação direta de causa e efeito, do tipo "penso certo = vivo certo". Às vezes temos abismos que separam uma coisa da outra. Mesmo estando em processo de santificação vacilamos, afinal, estamos em processo! Então, podemos estar focados na coisa certa e ainda assim fazer a errada.

Por isso Paulo fala em "trabalhar com afinco a salvação" (2.12) e ao mesmo tempo reconhece que é Deus que gera "o desejo e o poder de realizarem aquilo que é do agrado dele" (2.12). Tudo isso aponta para o fato de que esses imperativos nos chamam à responsabilidade, a uma postura, uma atitude virtuosa, sem deixar de reconhecer que o autor da santificação é Deus.*

* Para saber mais sobre o cristão e as virtudes, ouça o BTCast ABC2 031, em bibotalk.com ou nas plataformas digitais.

CONSIDERAÇÕES FINAIS

O evangelho muda tudo

Por Cacau Marques

Todos os pastores já passaram por isso: vão a uma visita preparados para trazer uma palavra de consolo a um irmão profundamente aflito, mas encontram ali alguém cheio de alegria e coragem. Saímos do encontro com aquele sentimento de que fomos consolados por Deus justamente quando pensávamos sermos nós os portadores do consolo.

A leitura de Filipenses também produz essa sensação. Nela, o apóstolo preso encoraja irmãos livres. Por suas algemas, Paulo anuncia a seus carcereiros a liberdade da prisão do pecado. Afirma que morrer é lucro, mas também que é melhor agora sofrer por amor do que experimentar as maravilhas da vida além.

Essas aparentes contradições surgem do núcleo do livro: a história do evangelho resumida no segundo capítulo. No famoso texto do esvaziamento de Cristo, encontramos o fundamento de todas as inversões presentes na epístola.

> Tenham a mesma atitude demonstrada por Cristo Jesus.

> Embora sendo Deus,
> não considerou que ser igual a Deus
> fosse algo a que devesse se apegar.
> Em vez disso, esvaziou a si mesmo;
> assumiu a posição de escravo
> e nasceu como ser humano.
> Quando veio em forma humana,
> humilhou-se e foi obediente
> até a morte, e morte de cruz.
>
> Filipenses 2.5-8

Se nos darmos conta de que a nossa fé começa com a história de Deus fazendo-se homem, o Soberano fazendo-se servo, o Eterno fazendo-se mortal, teremos de admitir que todas as outras contradições são menores. A vida do evangelho é marcada pelo paradoxo desde o seu fundamento. Em Cristo, tudo se inverte. O que antes nos parecia natural, passa a ser desordem.

Em Filipenses, o apóstolo nos desafia a viver a partir do evangelho. "O mais importante é que vocês vivam em sua comunidade de maneira digna das boas-novas de Cristo" (1.27). A vida cristã não é uma busca por perfeição em troca de favor, mas é uma resposta às boas-novas. Em vez de partir de regras legalistas, Paulo aplica a lógica invertida da mensagem cristã nas situações presentes. Em primeiro lugar, celebra a obra do Senhor através de sua prisão:

> Quero que saibam, irmãos, que tudo que me aconteceu tem ajudado a propagar as boas-novas. Pois

todos aqui, incluindo toda a guarda do palácio, sabem que estou preso por causa de Cristo. E, por causa de minha prisão, a maioria dos irmãos daqui se tornou mais confiante no Senhor e anuncia a mensagem de Deus com determinação e sem temor.

Filipenses 1.12-14

Pela lógica carnal, a situação de Paulo poderia ser facilmente entendida como uma batalha entre cristãos e romanos. Enquanto o apóstolo agia para pregar o evangelho, o Estado o perseguia. Enquanto cristãos faziam a obra de Deus, Roma fazia a obra do diabo. Mas a lógica do evangelho impedia que o apóstolo enxergasse a realidade desse jeito. Pelo contrário, os próprios guardas da prisão não eram seus inimigos, mas pecadores carentes da salvação. Em algemas, o missionário pregava libertação aos que estavam amarrados ao pecado. Se o próprio Cristo encarnou e sofreu nas mãos do mesmo poder imperial para libertar até aqueles que o maltratavam, como os cristãos podem agir com ódio contra seus perseguidores? A situação de Paulo não seria um mero percalço na missão da igreja, mas o fim natural dos que seguem o Crucificado. Os que odiaram o Cristo odiariam os cristãos; os que Cristo amou também devem ser amados pela igreja.

A identificação com Cristo no sofrimento é que faz o apóstolo dizer: "Pois, para mim, o viver é Cristo, e o morrer é lucro" (1.21). Aqui, mais uma vez, o evangelho inverte o que seria lógico. A morte não é o fim, a perda. Pelo contrário, é o lucro. É partir e estar com Cristo, que é muitíssimo melhor (1.23). O sofrimento não é um preço a se pagar pela caminhada cristã, mas um privilégio "Pois vocês receberam o privilégio não apenas de crer em Cristo, mas também de sofrer por ele" (1.29).

Todavia, esse sofrimento não é autoflagelação. O evangelho não propõe o sofrimento como forma de elevação espiritual. Tampouco serve de analgésico para encararmos a dor de modo estoico. O que o evangelho faz é nos motivar a amar o próximo de tal maneira que mesmo o sofrimento decorrente desse amor não nos impeça de demonstrá-lo. Por isso Paulo prefere continuar sofrendo na carne a ter o alívio imediato do encontro com Cristo, pois "por causa de vocês, é mais importante que eu continue a viver" (1.24). O próprio sofrimento da cruz não foi uma prova de resistência ou uma purgação através de um ferimento autoinfligido. A cruz é amor demonstrado a alguém. Por razões religiosas, muitos de nós estariam dispostos a andar sobre brasa, ajoelhar no milho ou deitar em camas de pregos. Faríamos jejuns intermináveis, açoitaríamos nossas costas ou mesmo encararíamos o martírio. Mas essas convicções de nada valem, quando não nos dispomos a sofrer por um irmão. Por isso o exemplo de Cristo é um desafio para que consideremos os outros mais importantes do que nós mesmos (2.3).

Os sofrimentos de Paulo na prisão tinham sentido porque eram sofrimentos por amor. Amor a Jesus na missão de pregar o evangelho, amor à igreja a quem ele serve escrevendo a epístola, e amor aos perdidos que encontram a salvação nas suas algemas. A vida cristã não é menos dolorosa que a vida sem Cristo, mas é uma vida em que tudo converge para o amor, incluindo a dor. Foi assim na história de Jesus, entregue à dor mortal por amor a nós. É assim na nossa história de enfrentamento das situações dolorosas da vida.

Tal amor de Cristo, dado a preço de sangue, é tão inestimável que todo o resto perde o seu valor. Quando Paulo valorizava o zelo religioso acima de qualquer coisa, tornou-se perseguidor da igreja (3.6). Quando se encontrou com Jesus Cristo, passou a ser perseguido por amor àqueles a quem antes perseguia. O sofrimento do apóstolo agora é um sofrimento com o próprio Cristo. Com seu corpo, Paulo toma parte no sofrimento do Senhor (3.10).

É nesse contexto que o apóstolo convoca os filipenses: "Irmãos, sejam meus imitadores e aprendam com aqueles que seguem nosso exemplo" (3.17). Essa não é uma declaração orgulhosa. Ele mesmo já tinha dito que não havia alcançado ainda a perfeição (3.12). Paulo insiste em que os filipenses busquem também a vida de abnegação que ele próprio estava buscando. Que se oponham aos que vivem para seus próprios ventres (3.19). O evangelho nos leva a uma vida em que o centro não está em nós mesmos, mas em Cristo e no próximo.

A imitação da vida do evangelho começaria com a reconciliação entre irmãos em desavença. No caso dos filipenses, duas irmãs, Evódia e

Síntique, estavam brigadas (4.2). Paulo insiste em que elas devem se reconciliar, uma vez que os nomes delas estão no Livro da Vida (4.3). Salvas por Cristo, reconciliadas com Deus, não devem andar brigadas. O fato de estarmos incluídos no Livro da Vida, apesar de nossos pecados, deve nos levar a perdoar também as falhas dos outros. O preço da reconciliação pago por Jesus é muito maior do que qualquer concessão que possamos fazer pela paz fraternal.

Essa reconciliação também nos garante paz com Deus. Essa paz de Deus é que guarda nossa mente e nosso coração no tempo de aflição. É por causa da cruz, que assegura a paz divina, que não precisamos andar ansiosos (4.6-7). Podemos levar tudo ao Senhor em súplicas, porque ele nos ama e isso já foi demonstrado no sacrifício do Calvário.

Essa realidade é tão grandiosa que serve de impulso para Paulo enfrentar as situações mais difíceis. Mesmo na carência, na fome, ou na abundância e saciedade, ele pode se fortalecer no Senhor, que enfrentou o sofrimento mais profundo na cruz. "Posso todas as coisas por meio de Cristo, que me dá força" (4.13). Mesmo assim, é bom que os filipenses o ajudem em suas necessidades. Não que o apóstolo dependa disso, mas, ao fazê-lo, os irmãos de Filipos estão agindo como o próprio apóstolo faz com Cristo. Veja, Paulo já tinha dito que levava os sofrimentos de Jesus em seu corpo. Agora, os filipenses levavam as necessidades do apóstolo sobre si mesmos, participando de suas aflições com contribuição financeira para manutenção do seu ministério (4.14). A vida cristã, aquela vida que brota do evangelho, é uma vida de partilha de tribulações. Não podemos livrar nossos amados de todo sofrimento, mas podemos sofrer junto deles, aliviando suas cargas.

Filipenses é a "epístola da alegria", mas é também a epístola do sofrimento. É a epístola que propõe uma vida de alegria a partir do sofrimento de Cristo e que destaca que, na participação desse sofrimento por amor, temos alegria completa. De Cristo brota uma nova vida e uma nova comunidade em que partilhamos nossos sofrimentos enquanto participamos do sofrimento do Cordeiro. Assim, podemos nos alegrar nele. Juntos.

APÊNDICE

Como resolver tretas na igreja

Rodrigo Bibo, Cacau Marques e Erlan Tostes ao vivo no BTDay em Brasília (BTCast 292).

> Portanto, meus amados irmãos, permaneçam firmes no Senhor. Amo vocês e anseio vê-los, pois são minha alegria e minha coroa de recompensa. Agora, suplico a Evódia e a Síntique: tendo em vista que estão no Senhor, resolvam seu desentendimento. E peço a você, meu fiel colaborador, que ajude essas duas mulheres, pois elas trabalharam arduamente comigo na propagação das boas-novas, e também com Clemente e com meus outros colaboradores, cujos nomes estão escritos no livro da vida.
>
> Filipenses 4.1-3

RB

Eu não consigo imaginar Paulo escrevendo algum tema para alguém se aquele tema não fosse necessário na carta. A carta aos Romanos foge um pouco dessa lógica, visto ele ter interesses em fazer amizade com a galera de Roma, para quem sabe facilitar seu acesso à Espanha e toda aquela missão que ele gostaria de fazer antes de morrer. Mas nas demais cartas temos questões mais situacionais. Em Filipenses ele é bem pontual em algumas questões, e podemos entender que havia discórdias, que aquela comunidade não era um mar de rosas.

CM | É que existe uma coisa: a gente tem uma visão sobre a igreja que é uma visão meio de curva descendente. Como se a igreja e o cristianismo fossem se corrompendo em todos os aspectos ao longo da história. E aí a gente sempre tenta voltar lá para as origens e idealiza as igrejas do Novo Testamento. Algumas a gente sabe que eram mais complicadas, como a igreja de Corinto, mas, de forma geral, costumamos idealizar o cristianismo primitivo.

Contudo, sabemos que não era esse mar de rosas porque a igreja — e isso é uma coisa que nunca mudou — sempre foi composta por pecadores. Sempre teve seus problemas. Ao mesmo tempo que ela manifesta os frutos de justiça de pessoas que são redimidas e encontram sua identidade em Jesus Cristo, ela também manifesta a expressão da carnalidade, que é a nossa identidade caída — quando a gente busca a nossa identidade em outras coisas que não Jesus, na carne. Então há sempre essa discrepância, e aqui o problema está com Evódia e Síntique. Há alguma questão entre elas aqui, e Paulo manda tratar. E o jeito que ele trata eu acho muito interessante. Ele as lembra da missão de serem cooperadoras. Igrejas que não focam a missão e o propósito tendem a se dividir por picuinhas.

Isso acontece muito nas igrejas, porque uma igreja que não milita pela causa de Jesus Cristo, daqui a pouco está militando pela flor que fica na frente do púlpito, pelo horário de usar o templo para as crianças ou para o grupo de louvor ensaiar, o *datashow*, o lugar da bateria, etc. E isso é perda de perspectiva.

Uma coisa que eu acho interessante é que Paulo sabe que Evódia e Síntique estão passando por algum problema, mas traz à memória uma coisa boa delas, não fica "esfregando" o desentendimento na cara. Nessa carta, ele cita nomes específicos, mas as trata com amor, e isso é muito bonito, e é o primeiro ponto para a gente resolver problemas da igreja, tretas da igreja: tentar lembrar da colaboração da pessoa para aquela obra. Acho que esse é um princípio bacana.

ERLAN TOSTES

É engraçado que aqui Paulo, já no final da vida, toma uma decisão diferente daquela que tomou com João Marcos lá atrás. Ele estava meio magoado com Marcos por tê-lo abandonado, tanto que Barnabé e Paulo se separaram naquele momento, mas agora Paulo não está querendo mais ressaltar a mágoa. Ele quer resolver o problema na igreja de Filipos, como resolveu com João Marcos.

PENSAMENTOS EVANGÉLICOS

CM

E aí eu queria trazer um tema para vocês que é o seguinte: nessa carta, e também em Efésios e Colossenses, existe uma questão — mais lá do que aqui, mas aqui tem algum resquício disso — sobre o que pensar. Aqui ele fala para Evódia e Síntique que elas vivam em harmonia no Senhor, que sintam da mesma maneira, que tenham um mesmo sentimento, que sejam unânimes, com um mesmo pensar, que tenham a mesma percepção das coisas. E, lá no capítulo 2, ele escreve: "Então completem a minha alegria concordando sinceramente uns com os outros, amando-se mutuamente e trabalhando juntos com a mesma forma de pensar e um só propósito". Então, no capítulo 4 mais adiante, ele vai falar sobre o que elas devem pensar, a partir do versículo 8.

Existe em Paulo uma questão sobre o efeito do evangelho na mente e como isso resulta em ações. É algo muito profundo. É adquirir a maneira de pensar de Jesus Cristo. Lá em 1Coríntios ele diz que "nós temos a mente de Cristo" (2.16), em Romanos diz que não devemos nos conformar com este mundo, mas ser transformados pela renovação de nosso entendimento (Rm 12.1-3), e em Efésios, que nos renovemos segundo o espírito de nosso entendimento (Ef 4.3). Devemos renovar nossas práticas pelo novo entendimento, e esse entendimento, uma vez que é o de Cristo, faz com que sejamos um, porque é o entendimento de uma só pessoa, Cristo.

Por isso, lá em Colossenses 3, Paulo vai falar que devemos pensar nas coisas do alto, onde a nossa vida está com Cristo, porque quando Cristo for manifestado nós vamos nos manifestar com ele. E então ele vai mostrando como é essa unidade: não há mais judeu nem grego, nem escravo nem livre, mas Cristo é tudo em todos. Então, a unidade não é um consenso, não é chegar e falar: "Galera, vamos lá, vamos ficar de boa, vamos negociar...". Não, na verdade, é uma unidade mística. Da mesma forma que a nossa união com Cristo é mística na fé, ela é mística entre nós, porque é Cristo manifestado, e essa unidade em Cristo se dá na mentalidade renovada e em nossas práticas segundo Cristo. Se Cristo for tudo em cada um de nós, todos nós seremos um, que é Cristo. Não é todos serem um e uma outra coisa. Não, todos seremos Cristo. Não no sentido de que faremos as obras dele, mas de que é a nossa unidade ao redor dele.

SUBMETIDOS À PALAVRA

RB

Eu acho interessante essa questão da palavra. Cristo é a Palavra. Nós mediamos nossas relações pela Palavra, e é a Palavra que transforma o nosso entendimento. Nós nos submetemos a esse livro, e eu acho que resgatar a autoridade das Escrituras é fundamental também para a unidade.

Por exemplo, eu quero ser um bom marido para a Xanda e tenho me esforçado, mas me esforço para ser um bom marido para ela e ela ser uma boa mulher para mim, não porque ela quer me agradar ou eu quero agradá-la — e é claro que eu quero —, mas eu tenho a Palavra me dizendo e me orientando como ser um bom marido. E não só ser um bom marido, a Bíblia não tem uma cartilha do bom marido, mas ela me ensina a ser uma boa pessoa por causa do Espírito que age em nós. Então, se eu sou mediado pela Palavra, vou me submeter a minha esposa e vou engolir aquele momento de raiva, porque a Palavra me orienta a isso. Logo, não é ela que está dizendo: "Você tem que fazer isso, tem que fazer aquilo...". Não! Se eu tenho consciência de que a Bíblia tem autoridade sobre a minha vida, eu vou ser um marido melhor, vou ser um membro da igreja melhor, vou ser um pastor melhor, uma pessoa melhor, porque a Palavra está mediando as minhas relações.

E aí, nesse sentido, eu não estou mais submetido ao Cacau, estou submetido à Palavra, e é essa Palavra que diz que eu me submeta a ele. Então, se Cristo se derramou de sua glória, derramou a sua alma na cruz até a morte, e Paulo está dizendo "tenham o mesmo pensamento"... O problema é a ideia de mérito. Eu acho que mereço o pedido de desculpas porque o outro é que errou comigo. A Evódia achava que tinha razão e a Síntique também achava que tinha razão, e aí dois bicudos não se beijam.

ET | Outro problema também é a falta de parâmetro, a falta de referência. Ter a mesma mente não significa todo mundo ter a mesma opinião. Ter a mesma opinião é todo mundo ter o mesmo referencial. O referencial não é o eu, não é o meu espelho. Cristo vive em mim. Não mais vivo eu, não mais eu sou meu próprio parâmetro, porque se eu sou minha própria medida, eu estou sempre certo. É só comparar a minha ação comigo mesmo, e pronto, estou certo. Não! Cristo é o referencial. Cristo que é tudo em todos, ele é o referencial geral da igreja.

E, de fato, não é opinião, porque até mesmo abrir | CM
mão de estar certo, segundo algumas opiniões, é sentir como Cristo. Por exemplo, Paulo escreveu aos coríntios: "Quando tiverem uma questão entre vocês, um precisa assumir o dano do outro" (ver 1Co 6.1-8). Às vezes a pessoa está certa, mas ela assume o dano. Exemplo: na saída da igreja, do estacionamento, alguém bate o carro no de outra pessoa. O que vai decidir quem paga o carro? Quem estava certo e quem estava errado? Não! Vai pagar o carro aquele para quem o dinheiro fizer menos falta. A pessoa vai assumir o dano de acordo com a mente de Cristo, não de acordo com sua opinião. Não é esse o parâmetro.

UNIDADE ESPIRITUAL

Agora, essa questão da união que você, Bibo, aplicou ao casamento, é a mesma coisa, porque toda a nossa unidade, em qualquer relação, é unidade em Cristo. Quando lemos em Gênesis sobre o homem e a mulher, quando Deus leva a mulher até o homem, ali aparecem os clássicos três verbos: o homem deixará pai e mãe, e se unirá à mulher, e serão os dois uma só carne (Gn 1.24). *Deixará*, *se unirá* e *serão*. Casamento não é fácil, mas se você abrir mão desse parâmetro eterno do Deus que criou o casamento para conduzir os dois segundo sua vontade, se você abrir mão disso, aí fica muito mais difícil. Aliás, é impossível cumprir a plenitude do casamento sem a Palavra de Deus que é Jesus Cristo. Por quê?

Porque deixar pai e mãe todo mundo deixa, unir todo mundo une, mas ser uma só carne... isso é milagre. Ainda que no texto haja um sentido sexual, há um sentido espiritual também: dois sendo um só é um milagre. E esse milagre é promovido por Deus, porque os dois têm Jesus Cristo como referência.

Mas é necessário entendermos que Jesus não é padrão só para o homem, ele é padrão para a mulher também. Eu sei que lá em Efésios 5, Paulo faz uma comparação de Cristo com o marido e da igreja com a mulher. Mas isso é uma comparação sobre a dinâmica do casamento, não sobre a essência da masculinidade ou feminilidade. Mulheres, quando vocês aprendem de Jesus, vocês pautam a sua caminhada com base em quem Jesus é. Jesus é referência para o homem e para a mulher. Os dois caminham em direção a Cristo e, nele, cumprem sua unidade.

Essa unidade do Éden e a separação pós-Éden são os elementos para entendermos todo tipo de desavença na igreja, na família, em qualquer lugar. Quero trazer o Bonhoeffer aqui para a discussão. Em sua *Ética*, ele diz que o alvo de toda reflexão ética é a noção do bem e do mal. Só que, na fé cristã, o conhecimento do bem e do mal não é um avanço ético, mas o início de tudo o que há de ruim. Conhecer o bem e o mal é o primeiro pecado, a origem de todo desequilíbrio. Antes da Queda, não havia a necessidade de se perguntar sobre o bem ou o mal. A preocupação era quanto à vontade de Deus. Estávamos unidos à vontade de

Deus e, por isso, agíamos em unidade. Na Queda, passamos a definir o bem e o mal em nós mesmos, e isso nos divide. Não compartilhamos mais o propósito de glorificar a Deus em obediência. No momento em que cada um tem em si o conhecimento do bem e do mal, cria-se uma divisão. Cada um se torna como deus, e no momento em que cada um se torna como deus, eles passam a ser os senhores da criação e querem adoração para si. É por isso que, lá na frente, uma das consequências do pecado é: "Seu desejo será para seu marido, e ele a dominará" (Gn 3.16). Antes era o quê? "Sejam férteis e multipliquem-se. Encham e governem a terra" (Gn 1.28), segundo a vontade de Deus. Mas, agora, cada um se considera deus, cada um quer sujeitar tudo, inclusive o outro, a si mesmo. Cada um vivendo de acordo com a própria vontade, o próprio bem e mal, os próprios interesses. O outro é mais uma coisa a ser sujeitada por mim, a ser submetida ao meu padrão de bem e de mal, a ser diminuída para que eu seja o deus do planeta.

Essa divisão nos leva a uma solidão existencial. E essa solidão nos leva à busca por uma comunidade. Há duas formas de sermos comunidade: voltando à comunhão com Deus que foi perdida, identificando-nos como criaturas nascidas para adorá-lo e submetidas à sua vontade, ou concentrando-nos em nossos objetivos e características carnais compartilhados.

O exemplo dessa comunidade carnal é a que nós vemos oito capítulos à frente. Em Gênesis 11, temos uma comunidade unida, mas não unida ao redor da vontade de Deus. São homens que se reúnem e dizem: "Venham, vamos construir uma cidade com uma torre que chegue até o céu. Assim, ficaremos famosos e não seremos espalhados pelo mundo" (Gn 11.4). E o que o Senhor diz sobre isso? "Vejam! Todos se uniram e falam a mesma língua. Se isto é o começo do que fazem, nada do que se propuserem a fazer daqui em diante lhes será impossível" (Gn 11.6). Essa unidade que eles tinham, segundo seus próprios interesses, Deus separou. Ele separou para pôr um limite no que podiam fazer, um limite em suas maldades. Desde Babel, toda história bíblica é assim: um povo fica forte, começa a agir com violência e maldade, massacra um monte de vítimas, e aí outro povo aparece para colocar limites na maldade do primeiro império. É assim sucessivamente.

A unidade carnal é sempre limitada e temporária. Sempre termina em catástrofe. Mas, em Cristo, nós somos reunidos a Deus, nós nos submetemos a ele e recuperamos a nossa consciência de sermos imagem de Deus, e não deuses do planeta. Aqueles separados que buscam Jesus Cristo, o Senhor une. Aqueles que se unem por interesses que não são de Deus, o Senhor separa para pôr limite no mal. Então, na igreja nós temos duas formas de reunião: uma é nos reunirmos por nossos interesses e fazer da igreja uma Babel, e a outra é nos reunirmos segundo a mente de Cristo, segundo a vontade de Deus. Se nós nos reunimos segundo a vontade de Deus, não fazemos

Babel, fazemos Éden. A igreja precisa decidir o que ela vai ser: se quem reina é Jesus Cristo, é Éden. Se quem reina é o interesse carnal de alguma pessoa ou da própria comunidade, é Babel.

Nós podemos nos unir pela identidade que quisermos, e por isso Cristo é central para a unidade da igreja. Quando temos desavenças, não dá para dizer: "Deixa pra lá". Não! Que a verdade de Cristo prevaleça, que a vontade de Deus prevaleça, portanto vamos resolver esse problema. Não vamos só engolir sapo, vamos resolver a parada com sinceridade. Vamos olhar as duas partes para Cristo, para não deixarmos que a carnalidade prevaleça. Em vez de sujeitarmos a parte errada à certa, vamos nos sujeitar todos a Cristo, e assim o que é realmente justo prevalecerá.

A igreja promove no mundo um tipo de unidade que restaura a bagunça que foi feita lá em Babel. E se ninguém, exceto o Senhor, podia impedir os planos feitos em Babel, que eram essencialmente maus, planos de fama, de construir um nome, de evitar ser espalhados pela terra, agora com relação à igreja não há ninguém que possa impedir seus planos, porque são planos contra os quais nem as portas do inferno prevalecerão. | ET

SOLIDÃO, COMUNHÃO E FUTEBOL

Ainda em Gênesis, há uma definição de solidão na Bíblia. Solidão é falta de correspondência. "Farei | CM alguém que o ajude e o complete" (Gn 2.18), isto é, alguém que lhe corresponda. Quanto mais correspondência a gente tem um com o outro, menos só a gente está. E solidão não significa necessariamente ausência de pessoas. Imagine que você um dia desembarque erroneamente no Japão. Você não tem correspondência com a fala, não tem correspondência com os sinais, com a cultura. Vai estar no meio de milhões de pessoas, mas vai estar solitário.

Essa falta de correspondência se agrava em nossos dias digitais. As amizades de WhatsApp e nas outras redes sociais são muito fáceis. A pessoa manda mensagem: "Gente, orem pela minha mãe que está muito doente, está no hospital, e por causa disso meu pai acabou tendo um problema no coração e foi internado também na UTI, e agora meu irmão está desesperado, sumiu, não sei onde está. Orem!".

Aí você manda o *emoji* de mãozinha orando... Não exige nada, você não vai pegar seu carro àquela hora da noite e ir até a casa da pessoa. E é o que você deveria fazer. Se fosse em outra época, era assim que você mostraria o seu amor. Mas hoje, se é verdade que estamos intensificando o tempo de relação, visto que estamos falando uns com os outros o tempo todo, isso não levou a um aumento de correspondência.

E isso acontece na igreja também. Já reparou que futebol de crente dá mais briga do que futebol de não crentes? Por quê? No futebol do mundo as pessoas se reúnem porque são amigas. No futebol da igreja as pessoas se reúnem porque são da mesma igreja. Elas não são amigas, nem se conhecem. Elas estão lá, e não custa nada dar uma cabeçada naquele cara, porque você nem conhece, não tem relação com ele. Mas, no mundo, primeiro tem a amizade e depois tem o futebol.

Então não podemos nos esquecer dos ambientes de relação em nossas igrejas. Não dá para virar culto *on-line*, não dá. Por mais que seja muito edificante, não dá para viver de *podcast*. Você precisa de uma comunidade de fé, do ferro que afia ferro, da faísca da relação.

Aprendi muito com a galera do Movimento Mosaico. O Rafael Pijama fala sobre como a matriz da igreja é uma matriz familiar, e não uma matriz empresarial. A gente trata as pessoas na igreja com base no cargo que elas ocupam. Isso aí você faz na sua empresa, não na igreja. Na sua igreja, as pessoas são irmãs.

RB

Algumas igrejas, e isso está cada vez mais forte pelo mundo afora, podem até ter uma pregação saudável, mas são megaigrejas, são igrejas de quatro mil, seis mil pessoas. Acabam sendo igrejas de consumo. Contudo, ser uma igreja pequena também não é garantia de uma igreja saudável.

E, de fato, uma igreja não é uma empresa. Gosto muito disso que o Mark Dever diz em seu livro *A comunidade cativante*: sim, a igreja não é um clube, a igreja é uma reunião de pessoas que foram salvas por Jesus. Agora, ela não pode ser menos que o clube, porque qualquer clube tem uma organização, tem suas regras, contribuições mensais, assembleias, atas e assim por diante. A igreja não pode ser menos que isso. Tem que ter organização. Tem igrejas que sofrem por má administração.

CM | Você mencionou essa questão das megaigrejas. Tem que ter uma proposta de relação. Não precisa ser amigo íntimo de todo mundo, mas é preciso criar ambientes de contato no qual exista fraternidade. Eu acho que o grupo pequeno, a célula, é uma solução válida.

O SEGREDO PARA A UNIDADE

A Palavra de Deus diz que devemos sempre decidir as coisas a partir da perspectiva da paz. Então, vamos ser instrumento de unidade da igreja em torno de Cristo. Vamos manifestar a nossa cidadania celeste em nossa igreja, em vez de nos apegarmos a picuinhas, a gostos pessoais. Às vezes é difícil perdoar, tem gente que pisa no nosso calo, que nos passa a perna, mas Deus ama essa pessoa também — e mais, essa pessoa ama a Deus também. E você também ama a Deus, e vocês dois são amigos de Deus e inimigos um do outro. Essa conta não fecha. Diante da glória de Deus, nossas diferenças diminuem, e eu acho que essa é, na verdade, uma das funções do culto público. Quando contemplamos a santidade de Deus, ficamos tão pequenos diante dele, que o nosso tamanho em relação ao outro se torna irrisório. Diante de Deus, nós somos todos pó. Diante da glória de Deus, nossa reação é a de Isaías: "Eu sou um homem de lábios impuros e vivo no meio de pessoas de lábios impuros" (Is 6.5). A gente é tudo a mesma coisa. Estamos todos no mesmo barco.

Se Cristo é a centralidade em nossas relações, a gente celebra o que há de Cristo em nós. Karl Barth escreveu: "O cristão é aquilo em nós que não somos nós, mas Cristo em nós". Então, há algo em nós que é Cristo em nós, esse é o cristão. Mas há algo em nós que não é Cristo em nós, esse é o anticristão, é a carne. Nós, juntos, celebramos o que há de Cristo em nós, e por isso, juntos, admoestamos o que há de não Cristo em nós.

Referências bibliográficas

Bíblia de Estudo NVT. São Paulo: Mundo Cristão, 2018.

Bonhoeffer, Dietrich. *Ética*, 12ª edição. São Leopoldo, RS: Sinodal, 2020.

Dever, Mark; Dunlop, Jamie. *A comunidade cativante: Onde o poder de Deus torna uma igreja atraente.* São José dos Campos, SP: Fiel, 2018.

Dunn, James D. G. *A teologia do apóstolo Paulo.* São Paulo: Paulus, 2003.

Lawson, Steve J. *Filipenses para você.* São Paulo: Vida Nova, 2019.

McKnight, Scot. *Reading Romans Backwards: A Gospel of Peace in the Midst of Empire.* Waco, TX: Baylor University Press, 2019.

Wiersbe, Warren W. *Comentário bíblico expositivo: Novo Testamento.* Vol. II. Santo André, SP: Geográfica, 2006.

Sobre os autores

Rodrigo Bibo de Aquino é casado com Alexandra e pai da Milena e do Kalel. É formado em teologia pela Faculdade Luterana de Teologia (FLT) e mestre em Teologia pela Faculdades Batistas do Paraná (FABAPAR). Criou o *site* e *podcast* Bibotalk em 2011, com a intenção de difundir teologia e Bíblia numa linguagem clara e acessível. Hoje, já são mais de 400 programas e 8 milhões de *downloads*. Come pouca salada e nas horas vagas assiste a filmes e séries (amou o final de *Lost*). Atualmente congrega na Onda Dura, em Joinville (SC). Instagram/Twitter: @bibotalk.

Alexandre Miglioranza é casado com Ana Claudia, pai da Bárbara e do Eduardo, e pastor da Église Baptiste de Montpellier, na França. É bacharel em Teologia pela Faculdade Teológica Batista de São Paulo e mestre em Teologia pelo Institut Protestant de Théologie, em Montpellier. É integrante do Bibotalk desde 2013. Instagram/Twitter: @milhoranza.

Carlos "Cacau" Marques, casado com Natália, é pastor na Igreja Batista Vida Nova, em Nova Odessa (SP), e professor na Faculdade Teológica Batista de Campinas (SP). É formado em Teologia pela Faculdade Teológica de Campinas e em História pela Universidade Estadual de Campinas. Instagram: @cacaupmarques / Twitter: @carlosapmarques.

Victor Fontana é jornalista e divulgador de conteúdo teológico. É formado em Comunicação pela Faculdade Cásper

Líbero e em Teologia pelo Seminário Teológico Servo de Cristo, em São Paulo. É mestre em Teologia pela Trinity Evangelical Divinity School, nos Estados Unidos. Casado com Bruna e pai da Lara, aguarda ansiosamente pelo título mundial do seu time de coração, além da *parousia*, é claro. Instagram: @victorfontana1 / Twitter: @victorfontana.

Paulo Won é mestre (M.Th.) em Estudos Bíblicos pela Universidade de Edimburgo, na Escócia, mestre em Divindade (M. Div.) pelo Seminário Teológico Servo de Cristo, e bacharel em Relações Internacionais pela Pontífica Universidade Católica de São Paulo (PUC-SP). É diretor da Escola Didaskalia, *host* do *podcast* Com Texto, e pastor auxiliar na Igreja Presbiteriana de Cuiabá (MT), além de autor do livro *E Deus falou na língua dos homens*. Instagram: @pauloshw / Twitter: @won_paulo.

André Daniel Reinke é casado com a Eliana Grimm e pai do Lucas e do Daniel. É membro da Igreja Batista Central de Porto Alegre. Bacharel em Design pela Universidade Federal de Santa Maria (UFSM), licenciado em História pela Universidade Federal do Rio Grande do Sul (UFRGS), mestre e doutorando em Teologia pelas Faculdades EST. Autor do *Atlas Bíblico Ilustrado*, da Série Construir, de *Os Outros da Bíblia* e de *Aqueles da Bíblia*. Instagram: @andredanielreinke.

Willian W. Erthal é advogado, licenciado em História e mestrando em Teologia Sistemática. Casado com a linda Memy e pai da sapeca Catarina. Esperando e experimentando o que é e o que há de vir. Instagram/Twitter: @wwerthal.

Bruno Mori Porreca é cristão, curitibano, psicólogo, mestrando em Filosofia, colíder do Grupo Local da ABC^2 em Curitiba. Um apaixonado por cosmovisão cristã em diálogo com a psicologia e as neurociências. Atualmente congrega na Igreja Presbiteriana Central de Curitiba. Instagram: @bruno.m.porreca / Twitter: @PorrecaMori.

Erlan Tostes é pai da Agatha e marido da Pri. É bacharel em Teologia, *podcaster* no Ovelhas Elétricas e associado da ABC^2. Congrega na Igreja Batista Capital, em Brasília, onde serve na área de ensino (Capital College).

O Ministério Bibotalk produz desde 2011 conteúdo bíblico-teológico em forma de vídeos, cursos e *podcasts*. Nossa missão é estimular a reflexão teológica pautada na Bíblia, na realidade e na história. Acesse nosso *site* bibotalk.com e venha fortalecer essa nova mentalidade!

Compartilhe suas impressões de leitura,
mencionando o título da obra, pelo e-mail
opiniao-do-leitor@mundocristao.com.br
ou por nossas redes sociais

Esta obra foi composta com tipografia Janson Text e Kandal
e impressa em papel Ivory Cold 65 g/m² na Geográfica